PRENTICE HALL MATEMÁTICAS

GEOMETRÍA

Páginas fotocopiables de lectura y matemáticas

Prentice Hall

Needham, Massachusetts
Upper Saddle River, New Jersey
Glenview, Illinois

ISBN: 0-13-068630-1

1 2 3 4 5 6 7 8 9 10   06 05 04 03 02

Contenido

To the Teacher

To solve problems and become math literate students must be able to extract important information from words and symbols. The activities in these masters help students analyze written material and math symbols and build their math vocabularies in order to become better problem solvers and better test-takers.

Study Skill Tips

Each master begins with a brief Study Skill tip to help students improve their studying skills and their test-taking skills.

Reading and Math Literacy Activities

Each chapter has four activities to help students as they work through the chapter.

Chapter Organizer

The **Chapter Organizer** (*Organizador del capítulo*) activity should be used at the beginning of each chapter. The top part of the master is a chapter-survey activity; the bottom part is a graphic organizer. Have students complete the chapter survey when the Chapter Opener is introduced. Students can then fill in the graphic organizer as they work through the chapter. The completed graphic organizer is a particularly valuable study tool for reviewing the chapter material.

Reading/Writing Math Symbols

The **Reading/Writing Math Symbols** (*Leer/Escribir símbolos matemáticos*) activities are positioned for use at either Checkpoint Quiz 1 (Master B) or for use at Checkpoint Quiz 2 (Master C). These masters include activities such as giving verbal and pictorial meaning to a symbol, matching symbols with words/definitions, using symbols as shorthand, or deciphering symbols within diagrams (e.g., right angle marker).

Reading Comprehension

The **Reading Comprehension** (*Comprensión de lectura*) activities are positioned for use with either Checkpoint Quiz 1 (Master B) or for use with Checkpoint Quiz 2 (Master C). These masters include activities such as sequencing, following directions, reading math sentences, using logic, or translating words into math.

Vocabulary

Use the **Vocabulary** (*Vocabulario*) activity at the end of each chapter. The vocabulary used in the activity may be cumulative within the particular course. For example, Chapter 7 may include key terms from Chapters 1–6. Vocabulary masters include activities such as crossword puzzles, scrambles, fill-in-the-blanks, matches, and any activity that makes use of math terms.

1A: Organizador gráfico

Destreza de estudio: Anota siempre tus tareas. No confíes en la memoria
para recordar todas las tareas de todas las clases.

Escribe tus respuestas.

1. ¿Cuál es el título del capítulo? _____

2. Busca la página del Contenido donde aparece este capítulo al principio del libro.
    Nombra cuatro temas que estudiarás en este capítulo.

    _____   _____

    _____   _____

3. ¿Cuál es el tema de la página Leer matemáticas? _____

4. ¿Cuál es el tema de la página Estrategia para la prueba? _____

5. Hojea las páginas del capítulo. Enumera cuatro conexiones con el mundo real que se tratan
    en este capítulo.

    _____   _____

    _____   _____

6. Completa el siguiente organizador gráfico a medida que avanzas en el capítulo.
    • En el centro, escribe el título del capítulo.
    • Cuando comiences una lección, escribe el nombre de la lección en un rectángulo.
    • Cuando termines una lección, escribe una destreza o un concepto clave en
      un óvalo conectado a ese bloque de la lección.
    • Cuando termines el capítulo, usa este organizador gráfico como ayuda
      para repasar.

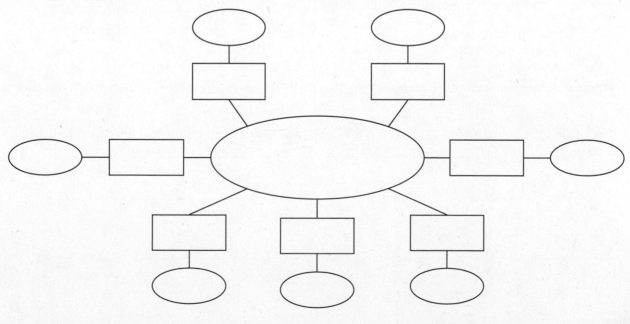

1B: Leer/Escribir símbolos matemáticos   Para usar después de la Lección 1-3

Destreza de estudio: Cuando tomas buenas notas en clase, debes usar los símbolos matemáticos apropiados. Algunos de los símbolos que usarás en geometría son segmento, recta, rayo, ángulo, triángulo, paralelo, perpendicular, etc. Muchos de estos símbolos se parecen mucho a otros símbolos, por eso es importante que los escribas muy claramente para que puedas entenderlos cuando necesites repasar tus notas.

Explica con palabras el significado de cada expresión o enunciado matemático.

1. $\overleftrightarrow{BC} \parallel \overleftrightarrow{MN}$ _____

2. $\overleftrightarrow{CD}$ _____

3. Los puntos X, Q y R son colineales _____

4. $\overline{GH}$ _____

5. $\overrightarrow{AB}$ _____

6. $\overrightarrow{CB}$ y $\overrightarrow{CD}$ son rayos opuestos _____

7. Los puntos X, Q y R son coplanarios _____

8. $XY > ST$ _____

Escribe cada enunciado con los símbolos matemáticos apropiados.

9. El segmento MN y el segmento XY tienen igual longitud. _____

10. La longitud del segmento GH es dos veces la longitud del segmento KL. _____

11. El segmento ST es perpendicular al segmento UV. _____

12. Un plano que contiene los puntos A, B y C es paralelo a un plano que contiene los puntos X, Y y Z. _____

13. El segmento AB es paralelo al segmento DE. _____

14. Los puntos X, Y y V son colineales e Y está entre X y V.

_____

1C: Comprensión de la lectura
Para usar después de la Lección 1-6

Destreza de estudio: Una destreza clave en el estudio de la geometría es leer e interpretar diagramas. Estos diagramas incluirán puntos, rectas, planos, ángulos, triángulos y otras figuras. Muchas veces se te pedirá que leas e interpretes relaciones matemáticas de estos diagramas.

1. El diagrama sugiere muchas relaciones matemáticas entre rectas, segmentos, ángulos, etc. Haz una lista de al menos siete enunciados matemáticos que se pueden hacer leyendo e interpretando el diagrama.

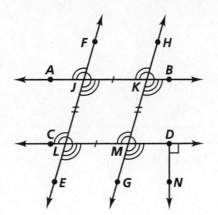

2. ¿Qué puedes decir sobre los puntos de este diagrama?

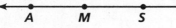

3. ¿Qué puedes decir sobre las rectas $\overleftrightarrow{AB}$, $\overleftrightarrow{HI}$ y $\overleftrightarrow{LN}$?

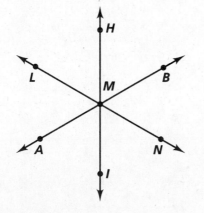

Dibuja un diagrama que represente cada enunciado matemático.

4. $\overrightarrow{BC}$ y $\overrightarrow{BD}$ son perpendiculares.

5. $m\angle DEF + m\angle FEG = 180°$

1D: Vocabulario

Para usar con el Repaso del capítulo

Destreza de estudio: Cuando tengas que identificar palabras en una sopa de letras, lee atentamente la lista de palabras completa para que puedas encontrar las palabras en el rompecabezas. Recuerda que tienes que tachar las palabras a medida que las vas encontrando.

Completa la sopa de letras.

ángulo agudo	ángulo	bisectriz
colineal	congruente	conjetura
construcción	contraejemplo	razonamiento inductivo
recta	punto medio	ángulo obtuso
paralela	perpendicular	plano
punto	rayo	ángulo recto
segmento	rectas oblicuas	ángulo llano

```
C O L I N E A L A N C H P A X R E C L O O
O L J M A N L C A S O U G R A A T C E R L
L P A R S L E T S A N U R L T Z O T A E P
A O R R A B L C E T A A U S I A N Y E C M
N I D C P L A N O H C C E R R E O L N T E
G D C A R P R A T N I Q T G U A R C A A J
U E O S O X A Q S D J C A R B C A N R S E
L M U D E P P A N S E E G E N O O C S O A
O O L U G N A E K S T N T U H I S O L B R
L T E G J E P M I L O S K U C Ñ E S O L T
L N M A Ñ R A B N C A B U C R O G N Y I N
A U D Y E O D U G A O L U G N A M A F C O
N P O P G A N G U L O R E C T O E F I U C
O V I T C U D N I O T N E I M A N O Z A R
S O I O B Z L C U S F A N T T A T M E S N
A I D O N E L P N M A I N T H S O O Z A U
M X O S U T B O O L U G N A P A R A R A P
A T E P N O C E R C P T A N O A L A S D O
```

Páginas fotocopiables de lectura y matemáticas

Geometría

2A: Organizador gráfico

Destreza de estudio: Toma notas a medida que vas trabajando cada capítulo como ayuda para organizar tus ideas y para que te sea más fácil repasar el material cuando termines el capítulo.

Escribe tus respuestas.

1. ¿Cuál es el título del capítulo? _____

2. Busca la página del Contenido donde esté este capítulo al principio del libro. Nombra cuatro temas que estudiarás en este capítulo.

   _____   _____

   _____   _____

3. ¿Cuál es el tema de la página Leer matemáticas? _____

4. ¿Cuál es el tema de la página Estrategia para la prueba? _____

5. Hojea las páginas del capítulo. Enumera cuatro conexiones con el mundo real que se tratan en este capítulo.

   _____   _____

   _____   _____

6. Completa el siguiente organizador gráfico a medida que avanzas en el capítulo.
   • En el centro, escribe el título del capítulo.
   • Cuando comiences una lección, escribe el nombre de la lección en un rectángulo.
   • Cuando termines una lección, escribe una destreza o un concepto clave en un óvalo conectado a ese bloque de la lección.
   • Cuando termines el capítulo, usa este organizador gráfico como ayuda para repasar.

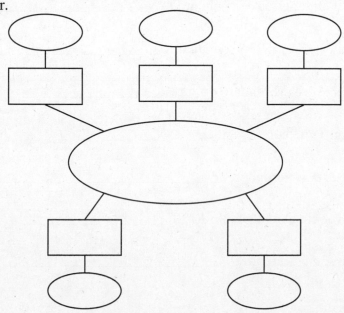

2B: Leer/Escribir símbolos matemáticos   **Para usar después de la Lección 2-3**

Destreza de estudio: Cuando tomas notas en cualquier asignatura, te servirá de ayuda el aprender a usar abreviaturas y símbolos como @ (en); #, #s (número, números); tb (también); pq (porque); ga (generalmente); + ó – (más o menos); ad+ (además). En geometría hay muchos símbolos que se usan comúnmente para abreviar los nombres de puntos, rectas, planos, ángulos, etc.

Escribe una descripción de lo que representa cada expresión matemática.

1. $\overline{MN} \cong \overline{PQ}$ _____

2. $p \to q$ _____

3. $MN = PQ$ _____

4. $\angle XQV \cong \angle RDC$ _____

5. $q \to p$ _____

6. $m\angle XQV = m\angle RDC$ _____

7. $p \leftrightarrow q$ _____

8. $q \leftrightarrow p$ _____

Escribe una descripción de lo que representa cada expresión matemática.

9. b es verdadero si a es verdadero _____

10. el segmento AB es igual en longitud al segmento MN _____

11. las medidas de los ángulos XYZ y RPS son iguales _____

12. si b es verdadero, entonces a es verdadero _____

13. el segmento AB es congruente con el segmento MN _____

14. a es verdadero si y sólo si b es verdadero _____

15. el ángulo XYZ es congruente con el ángulo RPS _____

16. b es verdadero si y sólo si a es verdadero _____

2C: Comprensión de lectura

Destreza de estudio: Los libros de texto están llenos de diagramas, gráficas y tablas. Cuando se muestra un diagrama, lee atentamente la información que presenta. Observa el diagrama para decidir qué conclusiones se pueden sacar de la figura.

Lee el problema y sigue el proceso mental y los pasos escritos para resolverlo. Comprueba tu comprensión resolviendo los ejercicios que aparecen al final de la página.

Halla la medida del ángulo obtuso en la figura de la derecha. Justifica cada paso.

$(20x + 18)°$ / $(8x − 6)°$

Proceso mental	Pasos escritos	
¿Qué información se me da?	Los dos ángulos forman un ángulo llano.	
Los dos ángulos son suplementarios. Se puede usar el postulado de adición de ángulos para escribir una ecuación.	$20x + 18 + 8x − 6 = 180$	Postulado de adición de ángulos
La ecuación se puede resolver para x.	$28x + 12 = 180$ $28x = 168$ $x = 6$	Simplificar. Propiedad sustractiva de la igualdad Propiedad de división de la igualdad
¿Da $x = 6$ una suma de 180 para los dos ángulos?	$20(6) + 18 + 8(6) − 6 = 180$ $120 + 18 + 48 − 6 = 180$ $180 = 180$	Sustitución. Simplificar.
¿Qué ángulo es el ángulo obtuso? El diagrama muestra $20x + 18$ como el ángulo obtuso. Sé que $x = 6$, así que sustituiré para hallar la medida.	$20(6) + 18 = 138$	
Ahora escribo mi respuesta final.	La medida del ángulo obtuso es 138°.	

1. En el ejemplo anterior, ¿cuál es la medida del ángulo agudo?

2. El ángulo NRO es un ángulo recto. T es un punto en el interior de $\angle NRO$. $m\angle NRT = 11x − 3$ y $m\angle TRO = 7x + 3$. Halla la medida del ángulo más pequeño.

3. El ángulo SFK y el ángulo QFK forman un ángulo llano. La medida del ángulo SFK está representada por la expresión $12x + 7$ y la medida del ángulo QFK está representada por la expresión $6x + 11$. ¿Cuáles son las medidas de estos dos ángulos?

2D: Vocabulario

Para usar después de la Lección 2-5

Destreza de estudio: Una de las cosas más difíciles de leer un libro de texto de matemáticas es el nuevo vocabulario con el que te vas a encontrar. A menudo te encontrarás con gran cantidad de términos nuevos en una sola sección. Las matemáticas son una serie de conceptos que debes aprender y recordar. Es importante aprenderse las definiciones de los nuevos términos tan pronto como éstos son introducidos. Lee en voz alta o recita los nuevos términos a medida que vas leyendo. Recitar una regla, definición o fórmula te puede ayudar a recordarla.

HORIZONTALES	**VERTICALES**
2. enunciado aceptado como verdadero	**1.** el punto de un segmento que divide el segmento en dos segmentos congruentes
4. uso de una regla y un compás para hacer figuras geométricas	**2.** no tiene tamaño ni dimensión, sólo posición
8. ángulo cuya medida es menor que 90°	**3.** dos ángulos cuyas medidas suman 90°
9. dos ángulos coplanarios con un lado común, un vértice común y ningún punto interior común	**5.** un ángulo cuya medida está entre 90° y 180°
11. uno de los números que describe la posición de un punto en un plano	**6.** dos rectas que están en el mismo plano y siempre están separadas por la misma distancia
12. puntos que están en la misma recta	**7.** dos ángulos no adyacentes formados por dos rectas que se intersecan
14. dos ángulos cuyas medidas suman 180°	**10.** dos segmentos que tienen la misma longitud
15. una recta que se interseca a otra formando un ángulo de 90 grados	**13.** *si* parte de una proposición condicional
16. describe una conclusión a la que se ha llegado mediante la observación	

3A: Organizador gráfico

Destreza de estudio: Antes de empezar el nuevo capítulo, lee los títulos de las secciones y los resúmenes. De esta forma tendrás una buena idea de lo que va a tratar el capítulo.

Escribe tus respuestas.

1. ¿Cuál es el título del capítulo? _____

2. Busca la página del Contenido donde esté este capítulo al principio del libro.

Nombra cuatro temas que estudiarás en este capítulo.

_____   _____

_____   _____

3. ¿Cuál es el tema de la página Leer matemáticas? _____

4. ¿Cuál es el tema de la página Estrategia para la prueba? _____

5. Hojea las páginas del capítulo. Enumera cuatro conexiones con el mundo real que se tratan en este capítulo.

_____   _____

_____   _____

6. Completa el siguiente organizador gráfico a medida que avanzas en el capítulo.
   • En el centro, escribe el título del capítulo.
   • Cuando comiences una lección, escribe el nombre de la lección en un rectángulo.
   • Cuando termines una lección, escribe una destreza o un concepto clave en un óvalo conectado a ese bloque de la lección.
   • Cuando termines el capítulo, usa este organizador gráfico como ayuda para repasar.

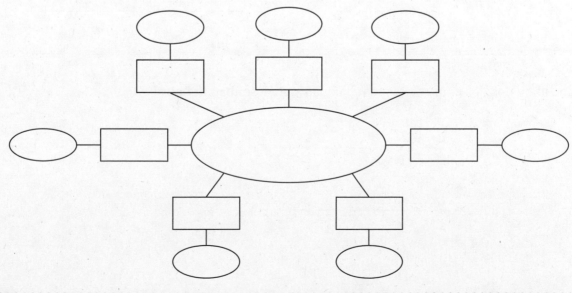

3B: Leer/Escribir símbolos matemáticos   Para usar después de la Lección 3-3

Destreza de estudio: Con frecuencia cuando tomas notas, te sirve de ayuda ilustrar conceptos en tus notas con dibujos simples. Por ejemplo, si tienes anotado en tus notas que la recta *XY* es paralela a la recta *ST*, haz un dibujo rápido de dos rectas paralelas y escribe sus nombres.

Escribe cada uno de los siguientes enunciados utilizando símbolos matemáticos.

1. La recta *m* es perpendicular a la recta *n*. _____

2. El ángulo 1 es suplementario al ángulo 2. _____

3. La recta *AB* es paralela a la recta *CD*. _____

4. El ángulo *MNP* es complementario al ángulo *MNQ*. _____

5. El ángulo 3 y el ángulo *EFD* son congruentes. _____

6. El ángulo *D* es un ángulo recto. _____

Explica con palabras el significado de cada expresión matemática.

7. $m\angle 1 + m\angle 2 = 180°$ _____

8. $r_1 \parallel r_2$ _____

9. $m\angle ABC = m\angle XYZ$ _____

10. $\overleftrightarrow{AB} \perp \overleftrightarrow{DF}$ _____

11. $m\angle ABC + m\angle ABD = 90°$ _____

12. $m\angle 2 = 90°$ _____

13. Escribe al menos dos expresiones matemáticas que describan la figura.

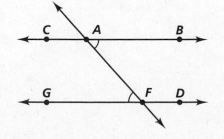

3C: Comprensión de la lectura

Para usar después de la Lección 3-6

Destreza de estudio: Los problemas verbales requieren que leas e interpretes bastante información. Es importante saber separar la información necesaria de la que no lo es. Cuando en un problema verbal encuentres valores que pueden ser importantes, anótalos en una hoja de papel aparte. A medida que vas resolviendo el problema, tacha los valores que no son necesarios para resolver el probema.

Lee el problema y responde a las preguntas.

Los propietarios de una panadería local quieren repavimentar el parqueadero y modificar el diseño para que quepan más carros. El diagrama muestra el diseño actual y el nuevo diseño. El parqueadero mide 50 por 70 pies. El alquitrán cuesta $2 el pie cuadrado. Las divisiones del parqueadero miden 20 pies de largo y 10 pies de ancho. La pintura usada para marcar las líneas que separan las divisiones cuesta $1.50 por pie lineal. Una división de parqueadero es por definición el espacio entre dos líneas.

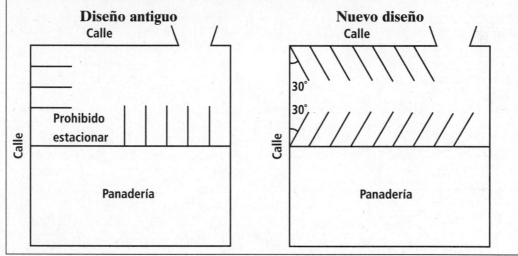

1. ¿Cuántas plazas para estacionar carros hay en el nuevo estacionamiento? _____

2. ¿Cuántas plazas para estacionar se ganan con el nuevo diseño? _____

3. ¿Cuál es la medida del ángulo formado por las líneas del nuevo estacionamiento y la panadería? _____

4. Si todas las líneas del estacionamiento son paralelas en el nuevo diseño, entonces los ángulos formados por la secante y las líneas son ángulos _____.

5. ¿Cuánto cuesta pavimentar todo el estacionamiento? _____ ¿Cuánto cuesta pintar las líneas?_____

6. ¿Qué cantidad dada en el problema no es necesaria para resolver los ejercicios 1 a 5?_____

7. Si los extremos de las líneas para una plaza de estacionamiento se unieran con un segmento, ¿qué figura se formaría? Explica. _____

3D: Vocabulario

Destreza de estudio: Puedes usar reglas nemotécnicas como ayuda para recordar palabras de vocabulario nuevas. Una regla nemotécnica es una frase que te hace recordar el significado de una palabra. La fórmula TE = 0LC (teeigualaceroelece) te puede ayudar a recordar que los **t**riángulos **e**scalenos no tienen ningún (0) **l**ado **c**ongruente.

Empareja los términos clave o vocabulario de la columna A con sus descripciones en la columna B uniéndolos con una línea.

Columna A		Columna B
1. ángulo agudo	**A.**	Dos ángulos que deben ser suplementarios si las rectas son paralelas.
2. ángulos alternos internos		
3. ángulos correspondientes	**B.**	Por lo menos dos lados congruentes.
4. equilátero	**C.**	Ángulo formado por un lado de un polígono y una extensión de un lado adyacente.
5. ángulo exterior		
6. isósceles	**D.**	Un ángulo cuya medida está entre 0° y 90°.
7. forma punto pendiente	**E.**	Ángulos interiores no adyacentes que yacen sobre lados opuestos de la transversal.
8. forma general		
9. polígono regular	**F.**	Sin lados congruentes.
10. escaleno	**G.**	$y = 7x + 9$
11. secante	**H.**	Dos rectas que se intersecan en 90°.
12. ángulos interiores con el mismo lado	**I.**	$y_2 - y_1 = m(x_2 - x_1)$
13. polígono	**J.**	Figura cerrada con al menos tres lados.
14. forma pendiente intercepto	**K.**	Todos los lados congruentes.
	L.	Ángulos que están en una posición similar en el mismo lado de la transversal.
15. perpendiculares		
	LL.	Una figura que es equiángula y equilátera.
	M.	$7x + 5y = 35$
	N.	Una recta que interseca dos rectas coplanarias en dos puntos distintos.

4A: Organizador gráfico

Destreza de estudio: A medida que vas leyendo el contenido del capítulo, toma notas y escribe las preguntas que tengas. Deberías leer el contenido antes de que el maestro lo presente. Esto te ayudará a entender mejor parte del contenido.

Escribe tus respuestas.

1. ¿Cuál es el título del capítulo?_____

2. Busca la página del Contenido donde esté este capítulo al principio del libro. Nombra cuatro temas que estudiarás en este capítulo.

   _____   _____

   _____   _____

3. ¿Cuál es el tema de la página Leer matemáticas? _____

4. ¿Cuál es el tema de la página Estrategia para la prueba? _____

5. Hojea las páginas del capítulo. Enumera cuatro conexiones con el mundo real que se tratan en este capítulo.

   _____   _____

   _____   _____

6. Completa el siguiente organizador gráfico a medida que avanzas en el capítulo.
   - En el centro, escribe el título del capítulo.
   - Cuando comiences una lección, escribe el nombre de la lección en un rectángulo.
   - Cuando termines una lección, escribe una destreza o un concepto clave en un óvalo conectado a ese bloque de la lección.
   - Cuando termines el capítulo, usa este organizador gráfico como ayuda para repasar.

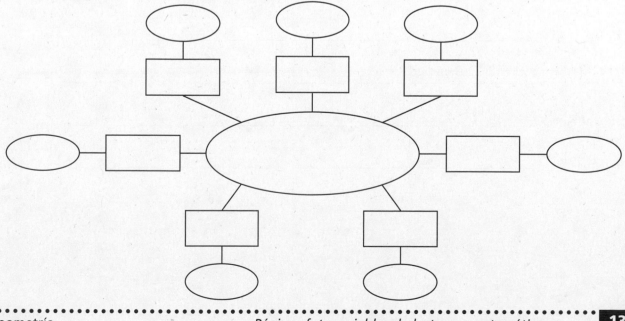

4B: Leer/Escribir símbolos matemáticos   Para usar después de la Lección 4-3

Destreza de estudio: Las abreviaciones o ciertas combinaciones y disposiciones de palabras (a veces griegas) toman significados universalmente aceptados. Por ejemplo, en geometría, las letras *LLL* están aceptadas como la versión corta de postulado de congruencia Lado-Lado-Lado. Este "simbolismo" puede ahorrarte tiempo si puedes reconocer algunas de las combinaciones más populares.

Escribe el significado de cada abreviatura o combinación de letras.

1. *LAL* _____

2. *AAL* _____

3. $\triangle XYZ$ _____

4. $\angle PQR$ _____

5. $\triangle BCD$ _____

6. $\angle C$ _____

7. $\overline{BD}$ _____

8. $\overleftrightarrow{ST}$ _____

9. $\overrightarrow{WX}$ _____

10. *HC* _____

11. r_3 _____

12. $\angle 6$ _____

13. *ALA* _____

14. $\triangle XFK$ _____

4C: Comprensión de lectura

Destreza de estudio: Los libros de texto de geometría contienen diferentes tipos de demostraciones. La demostración informal es una manera general de mostrar el desarrollo de un concepto. Cuando se presenta una demostración, lee atentamente los enunciados de los datos conocidos y los enunciados que hay que demostrar. Observa el diagrama para decidir qué conclusiones se pueden sacar a partir de la figura.

Lee el problema y sigue el proceso mental y los pasos escritos para resolverlo. Comprueba tu comprensión resolviendo los ejercicios que aparecen al final de la página.

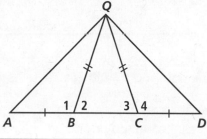

Dado: $\overline{AB} \cong \overline{DC}, \overline{QB} \cong \overline{QC}$
$m\angle 1 + m\angle 3 = 180°$

Demostrar: $\triangle ABQ \cong \triangle DCQ$

Proceso mental	Demostración informal
La información dada afirma que hay dos pares de lados congruentes en el $\triangle ABQ$ y el $\triangle CDQ$. Esto significa que se debe demostrar que los triángulos son congruentes usando LAL o LLL.	$\overline{AB} \cong \overline{DC}$ y $\overline{QB} \cong \overline{QC}$ Esto es información dada.
También se da el hecho dc que $m\angle 1 + m\angle 3 = 180°$. Además, yo puedo decir que $m\angle 3 + m\angle 4 = 180°$.	$m\angle 1 + m\angle 3 = 180°$ Dado $m\angle 3 + m\angle 4 = 180°$ por el postulado de adición de ángulos.
Esto significa que $m\angle 1 = m\angle 4$.	Como $m\angle 1 + m\angle 3 = m\angle 3 + m\angle 4$, cntonces $m\angle 1 = m\angle 4$ por la propiedad sustractiva de la igualdad
Ahora sé que el $\triangle ABQ$ y el $\triangle CDQ$ tienen dos pares de lados congruentes y los ángulos incluidos son también congruentes. Por lo tanto los triángulos son congruentes.	$\triangle ABQ \cong \triangle DCQ$ por LAL

1. En la figura, $\overline{WU} \cong \overline{VY}, \overline{WX} \cong \overline{YX}$, y $m\angle 3 + m\angle 4 = 180°$. ¿Hay suficiente información dada para demostrar que $\triangle WUX \cong \triangle YVX$? Si es sí, proporciona la demostración. Si es no, explica qué información adicional se necesita.

2. Dado: $\overline{BC} \cong \overline{CD}$
Demostrar: $\triangle ABC \cong \triangle EDC$

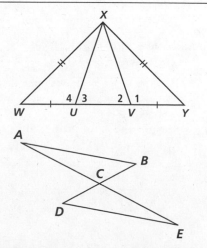

4D: Vocabulario

Para usar con el Repaso del capítulo

Destreza de estudio: Puede que el conocer el vocabulario matemático parezca menos importante que el poder resolver problemas, pero sin saber el vocabulario de las lecciones y capítulos anteriores, te puede resultar difícil comprender los nuevos conceptos que se van introduciendo.

Llena las casillas en cada oración. Copia las letras de las casillas numeradas en las casillas con el mismo número que aparecen al final de la página.

1. Un ⬚⬚⬚⬚⬚⬚⬚⬚⬚⬚ es un enunciado aceptado de un hecho.
   10

2. El lado más largo de un triángulo rectángulo es la ⬚⬚⬚⬚⬚⬚⬚⬚⬚⬚ .
   3   20

3. Un ⬚⬚⬚⬚⬚⬚ está formado por dos rayos con un extremo común.
   4   6

4. Un punto donde se encuentran dos lados de una figura es un ⬚⬚⬚⬚⬚⬚⬚ .
   17

5. Un segmento que conecta dos vértices de un triángulo se llama ⬚⬚⬚⬚ .
   12

6. Un ⬚⬚⬚⬚⬚⬚ es uno de los dos lados más cortos de un triángulo rectángulo.
   11   19

7. Dos rectas son ⬚⬚⬚⬚⬚⬚⬚⬚⬚⬚⬚⬚⬚⬚ si forman un
   5   16
   ángulo recto cuando se intersecan.

8. Un ⬚⬚⬚⬚⬚⬚⬚ es una figura cerrada con al menos tres lados.
   9   14

9. Los ángulos ⬚⬚⬚⬚⬚⬚⬚⬚⬚⬚⬚⬚ suman 180°.
   7   13   2   21

10. Las rectas que son ⬚⬚⬚⬚⬚⬚⬚⬚⬚ nunca se intersecan.
    8

11. Los ángulos ⬚⬚⬚⬚⬚⬚⬚⬚⬚⬚⬚⬚⬚⬚
    15   18   1
    están en posiciones semejantes en el mismo lado de una secante.

⬚⬚⬚⬚⬚⬚⬚⬚⬚⬚   ⬚⬚⬚⬚⬚⬚⬚⬚⬚⬚⬚
1 2 3 4 5 6 7 8 9 10   11 12 13 14 15 16 17 18 19 20 21

5A: Organizador gráfico

Destreza de estudio: Desarrolla y pon en práctica un método consistente para tomar notas que incluya la puntuación y las abreviaturas. Toma tus notas en un cuaderno grande. Un cuaderno grande te permite tomar notas sin que se te acabe el papel ni el espacio.

Escribe tus respuestas.

1. ¿Cuál es el título del capítulo? _____

2. Busca la página del Contenido donde esté este capítulo al principio del libro. Nombra cuatro temas que estudiarás en este capítulo.

    _____   _____

    _____   _____

3. ¿Cuál es el tema de la página Leer matemáticas? _____

4. ¿Cuál es el tema de la página Estrategia para la prueba? _____

5. Hojea las páginas del capítulo. Enumera cuatro conexiones con el mundo real que se tratan en este capítulo.

    _____   _____

    _____   _____

6. Completa el siguiente organizador gráfico a medida que avanzas en el capítulo.
    *   En el centro, escribe el título del capítulo.
    *   Cuando comiences una lección, escribe el nombre de la lección en un rectángulo.
    *   Cuando termines una lección, escribe una destreza o un concepto clave en un óvalo conectado a ese bloque de la lección.
    *   Cuando termines el capítulo, usa este organizador gráfico como ayuda para repasar.

5B: Leer/Escribir símbolos matemáticos   Para usar después de la Lección 5-3

Destreza de estudio: Muchos símbolos se parecen a la palabra o al significado que representan. El signo de porcentaje, %, por ejemplo, parece una fracción; el porcentaje suele escribirse como una fracción con denominador 100.

Empareja la expresión de la columna de la izquierda con su significado equivalente en la columna de la derecha uniéndolos con una línea.

1. $p \rightarrow q$

2. $\overleftrightarrow{XY}$

3. $\triangle ABC$

4. $\overline{AB} \cong \overline{MN}$

5. XY

6. $AB = MN$

7. $\overrightarrow{XY}$

8. $\angle ABC$

9. $\overline{AB} \not\cong \overline{MN}$

10. $\overline{XY}$

11. $m\angle ABC$

12. $\overleftrightarrow{AB} \parallel \overrightarrow{MN}$

13. $\sim p \rightarrow q$

14. $AB < MN$

15. $p \rightarrow \sim q$

16. $AB \not> MN$

17. $\overleftrightarrow{AB} \perp \overleftrightarrow{MN}$

18. $\frac{1}{2}XY$

19. $\angle ABC \cong \angle XYZ$

20. $m\angle ABC + m\angle XYZ = 180°$

A. el segmento AB no es congruente con el segmento MN

B. la longitud del segmento AB es igual a la longitud del segmento MN

C. si p entonces no q

D. el $\angle ABC$ es suplementario al $\angle XYZ$

E. la recta AB es perpendicular a la recta MN

F. la recta AB es paralela a la recta MN

G. recta XY

H. el segmento AB es congruente con el segmento MN

I. segmento XY

J. rayo XY

K. la longitud del segmento AB no es mayor que la longitud del segmento MN

L. el ángulo $\angle ABC$ es congruente con el ángulo XYZ

LL. la medida del ángulo $\angle ABC$

M. la longitud del segmento AB es menor que la longitud del segmento MN

N. la longitud del segmento XY

Ñ. si p entonces q

O. ángulo $\angle ABC$

P. la mitad de la longitud del segmento XY

Q. si no p entonces q

R. triángulo ABC

5C: Comprensión de lectura

Para usar después de la Lección 5-5

Destreza de estudio: En matemáticas es a menudo importante poder dibujar un diagrama. Lee atentamente el problema. Luego dibuja un diagrama y anota toda la información conocida.

Lee el siguiente problema verbal y los pasos necesarios para dibujar el diagrama. Luego resuelve el problema que aparece al final de la página.

Una científica ha descubierto el cráter de un meteorito antiguo cuya forma es ovalada. El cráter está ahora lleno de agua. Para calcular la longitud, empieza en un extremo del cráter en el punto *A* y camina alejándose del borde del cráter una distancia de 25 metros y coloca un montón de rocas. Luego sigue en la misma dirección otros 25 metros y coloca un segundo montón de rocas. Luego va caminando directamente hacia el punto *B* que está en el otro extremo del cráter. La distancia desde el segundo montón de rocas hasta el punto *B* es de 90 metros. Luego da media vuelta y andando regresa hacia el segundo montón de rocas durante 45 metros y coloca un tercer montón de rocas. La distancia desde el montón 3 hasta el montón 1 es de 42 metros. ¿Cuál es la longitud del cráter?

Sigue estos pasos para crear un diagrama del cráter.

1. Dibuja un cráter con forma ovalada.

2. Dibuja una línea para representar el primer avance de 25 metros y el primer montón de rocas.

3. Dibuja una segunda línea para el segundo avance de 25 metros y el segundo montón de rocas.

4. Dibuja una línea para representar el avance de 90 metros hacia el punto *B* al otro lado del cráter.

5. Dibuja un punto en la mitad entre el segundo montón de rocas para representar el tercer montón a 45 metros desde el punto *B*

6. Dibuja una línea entre el tercer montón de rocas y el primero, y anota su longitud de 42 metros.

7. Usando el teorema de los puntos medios de los segmentos de un triángulo, la longitud de $AB = 84$ metros.

Imagina que la científica quiere hallar el ancho del cráter. Desde el punto *C* a un lado, ella avanza alejándose del cráter 40 metros, coloca un montón de rocas, luego avanza otros 40 metros y coloca un segundo montón. Luego camina 70 metros hacia el punto *D* en el lado opuesto del punto *C*. Desde el punto *D*, da media vuelta y avanza hacia el segundo montón 35 metros y coloca un tercer montón de rocas. Ella mide la distancia entre el montón 1 y el montón 3 en 5 metros. ¿Cuál es el ancho del cráter?

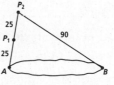

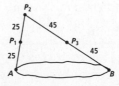

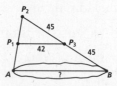

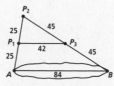

5D: Vocabulario

Para usar con el Repaso del capítulo

Destreza de estudio: Cuando sea posible, intenta dibujar un boceto del objeto descrito por una palabra de vocabulario. Normalmente es más fácil recordar el significado de una palabra cuando puedes asociar la palabra con un dibujo o boceto.

Llena los espacios en blanco con la palabra apropiada.

1. Las mediatrices de los lados de un triángulo son concurrentes en un punto conocido como el/la _____.

2. Un/Una _____ de un triángulo es un segmento perpendicular que va desde el vértice hasta la recta que contiene el lado opuesto al vértice.

3. Un/Una _____ es una serie de puntos que se extiende en dos sentidos opuestos sin fin.

4. Un/Una _____ de un triángulo es un segmento que une un vértice y el punto medio del lado opuesto al vértice.

5. El/La _____ de un enunciado tiene el valor verdadero opuesto.

6. La negación de la hipótesis y la conclusión de un enunciado condicional se llama _____.

7. Dos rayos colineales con el mismo extremo se conocen como _____.

8. Un/Una _____ es la negación y el intercambio de la hipótesis y la conclusión.

9. Las bisectrices de los ángulos de un triángulo son concurrentes en un punto conocido como el/la _____.

10. Las rectas que contienen las altitudes de un triángulo son concurrentes en un punto conocido como el/la _____.

11. Un/Una _____ es una figura cerrada con al menos tres lados.

12. Cuando una ecuación está en forma _____, es muy fácil identificar la pendiente y el intercepto *y*.

13. La medida de cada ángulo _____ de un triángulo es igual a la suma de las medidas de sus dos ángulos interiores no adyacentes.

14. Un ángulo _____ mide entre 90° y 180°.

15. Cuando dos rectas coplanarias son cortadas por una secante, los ángulos entre las dos rectas en lados opuestos de la secante se llaman ángulos _____.

16. Las medianas de un triángulo son concurrentes en un punto conocido como el/la _____.

17. Todos los lados de un triángulo _____ tienen longitudes distintas.

18. Los enunciados que siempre tienen el mismo valor verdadero son _____.

19. Un triángulo _____ no tiene ningún ángulo formado por rectas perpendiculares.

20. Las rectas coplanarias que no se intersecan se llaman rectas _____.

6A: Organizador gráfico

Destreza de estudio: Cuando tomes notas no hace falta que escribas todo lo que dice el maestro. Eso sería imposible. Dedica un momento a escuchar y anota los puntos y ejemplos más importantes. Si escribes muy rápido no puedes escuchar bien.

Escribe tus respuestas.

1. ¿Cuál es el título del capítulo? _____

2. Busca la página del Contenido donde esté este capítulo al principio del libro. Nombra cuatro temas que estudiarás en este capítulo.

   _____   _____

   _____   _____

3. ¿Cuál es el tema de la página Leer matemáticas? _____

4. ¿Cuál es el tema de la página Estrategia para la prueba? _____

5. Hojea las páginas del capítulo. Enumera cuatro conexiones con el mundo real que se tratan en este capítulo.

   _____   _____

   _____   _____

6. Completa el siguiente organizador gráfico a medida que avanzas en el capítulo.
   • En el centro, escribe el título del capítulo.
   • Cuando comiences una lección, escribe el nombre de la lección en un rectángulo.
   • Cuando termines una lección, escribe una destreza o un concepto clave en un óvalo conectado a ese bloque de la lección.
   • Cuando termines el capítulo, usa este organizador gráfico como ayuda para repasar.

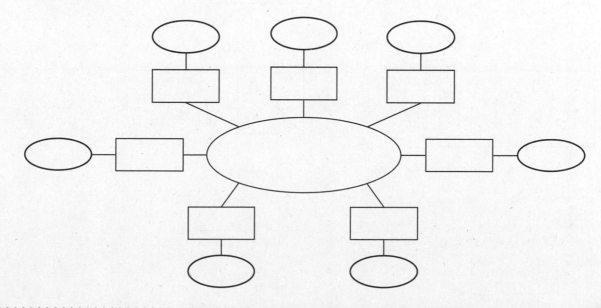

6B: Leer/Escribir símbolos matemáticos   Para usar después de la Lección 6-3

Destreza de estudio: Los diagramas son herramientas útiles para ayudarte a recordar un concepto nuevo. Cuando tomes notas, considera dibujar un diagrama que explique tus notas. Cuando dibujes un diagrama, rotúlalo correctamente. Sin los rótulos, un diagrama no te serviría para repasar tus notas.

Identifica un punto o segmento específico de la figura siguiente para los términos dados a continuación. Puede haber más de una respuesta correcta.

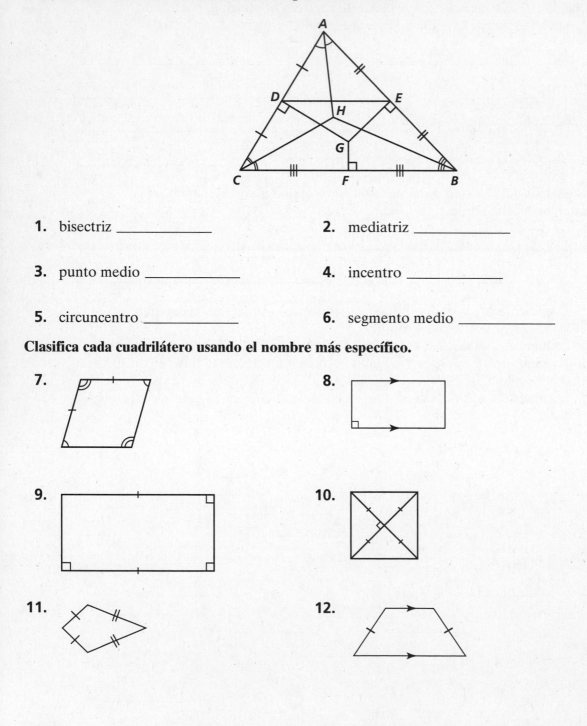

1. bisectriz _____

2. mediatriz _____

3. punto medio _____

4. incentro _____

5. circuncentro _____

6. segmento medio _____

Clasifica cada cuadrilátero usando el nombre más específico.

7.

8.

9.

10.

11.

12.

6C: Comprensión de la lectura

Para usar después de la Lección 6-6

Destreza de estudio: Poder leer y entender una demostración es una destreza importante en geometría. Una demostración se desarrolla lógicamente, paso a paso, desde los datos conocidos hasta el resultado deseado. A medida que lees una demostración, asegúrate de que entiendes cada enunciado. Observa los diagramas que tengan la demostración o dibuja un diagrama para que te ayude a entender cada paso.

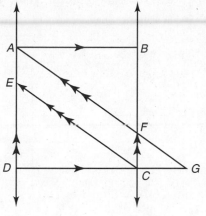

Lee el problema y sigue el proceso mental y los pasos escritos para completar la demostración. Verifica tu comprensión completando el ejercicio que aparece al final de la página.

Dado: paralelogramo $ABCD$
          paralelogramo $AECF$

Demostrar: $\triangle ABF \cong \triangle CDE$

Proceso mental	Demostración informal
Para demostrar que $\triangle ABF \cong \triangle CDE$, usa uno de los siguientes teoremas: *LLL, LAL, ALA* o *AAL*. Se sabe que $ABCD$ es un paralelogramo, por lo tanto sabes que $\overline{AB} \cong \overline{CD}$ y $\overline{AD} \cong \overline{BC}$.	$\overline{AB} \cong \overline{CD}$ y $\overline{AD} \cong \overline{BC}$ porque los lados opuestos de un paralelogramo son congruentes.
Se sabe también que $AECF$ es un paralelogramo, por lo tanto $\overline{AE} \cong \overline{FC}$.	$\overline{AE} \cong \overline{FC}$ porque los lados opuestos de un paralelogramo son congruentes.
Sé que un lado de los dos triángulos es congruente. Ahora necesito un segundo lado.	Como $\overline{AD} \cong \overline{BC}$ y $\overline{AE} \cong \overline{FC}$ entonces por la propiedad de la resta $\overline{ED} \cong \overline{BF}$.
Ahora tengo dos lados de los dos triángulos congruentes, necesito el ángulo incluido.	$\angle B \cong \angle D$ porque los ángulos opuestos de un paralelogramo son congruentes.
Tengo ahora dos lados y un ángulo incluido de un triángulo congruente al de otro.	$\triangle ABF \cong \triangle CDE$ por *LAL*.

Ejercicios.

Dado: paralelogramo $QRST$

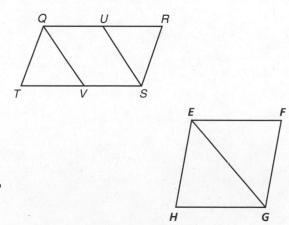

1. ¿Qué información conoces?

2. ¿Puedes demostrar que $\triangle QTV \cong \triangle SRU$? Explica tu respuesta.

Dado: rombo $EFGH$

3. ¿Qué información conoces?

4. ¿Puedes demostrar que $\triangle EFG \cong \triangle EHG$? Explica tu respuesta.

6D: Vocabulario

Para usar con el Repaso del capítulo

Destreza de estudio: Practica escribir palabras de vocabulario en tarjetas de notas y escribe las definiciones en la parte de atrás. Así puedes dar la vuelta a las tarjetas y decir las definiciones para ti mismo mientras lees cada palabra. Si necesitas ayuda para recordar la definición, da la vuelta a la tarjeta.

HORIZONTALES	VERTICALES
4. un cuadrilátero con sus dos pares de lados opuestos paralelos	**1.** las líneas de las alturas de un triángulo se encuentran en este punto
6. las medianas de un triángulo se encuentran en este punto	**2.** un cuadrilátero con sólo un par de lados paralelos
8. las mediatrices de un triángulo se encuentran en este punto	**3.** las bisectrices de un triángulo se encuentran en este punto
11. estos ángulos son congruentes en un trapecio	**5.** el lado opuesto al ángulo recto en un triángulo rectángulo
12. cuadrilátero con sus cuatro lados congruentes	**7.** un paralelogramo con cuatro ángulos rectos
	9. un cuadrilátero con dos pares de lados adyacentes congruentes y sin lados opuestos congruentes
	10. un paralelogramo con cuatro lados congruentes y cuatro ángulos rectos

7A: Organizador gráfico

Para usar antes de la Lección 7-1

Destreza de estudio: Cuando tomes notas procura que sean lo más fácil de leer posible. Inventa tus propias abreviaturas cuando puedas. La cantidad de tiempo que se necesita para volver a copiar notas desordenadas y confusas es mejor que se use para volver a leer las notas y para pensar en lo que dicen.

Escribe tus respuestas.

1. ¿Cuál es el título del capítulo? _____

2. Busca la página del Contenido donde esté este capítulo al principio del libro. Nombra cuatro temas que estudiarás en este capítulo.

   _____   _____

   _____   _____

3. ¿Cuál es el tema de la página Leer matemáticas? _____

4. ¿Cuál es el tema de la página Estrategia para la prueba? _____

5. Hojea las páginas del capítulo. Enumera cuatro conexiones con el mundo real que se tratan en este capítulo.

   _____   _____

   _____   _____

6. Completa el siguiente organizador gráfico a medida que avanzas en el capítulo.
   - En el centro, escribe el título del capítulo.
   - Cuando comiences una lección, escribe el nombre de la lección en un rectángulo.
   - Cuando termines una lección, escribe una destreza o un concepto clave en un óvalo conectado a ese bloque de la lección.
   - Cuando termines el capítulo, usa este organizador gráfico como ayuda para repasar.

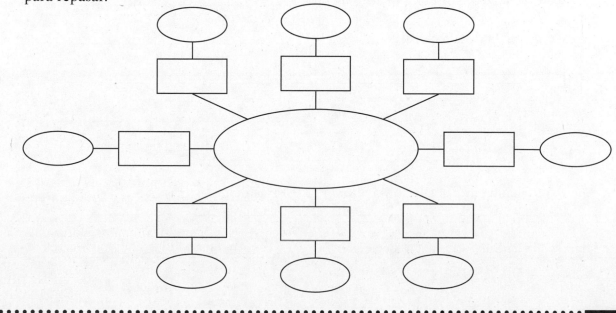

7B: Comprensión de lectura

Para usar después de la Lección 7-3

Destreza de estudio: Para lograr el éxito en las matemáticas debes poder leer y entender los símbolos matemáticos. Los símbolos matemáticos te ayudarán a determinar relaciones entre figuras y diagramas.

Empareja el símbolo de la izquierda con su significado apropiado de la derecha uniéndolos con una línea.

1.	$\odot A$	**A.**	paralelogramo $WXYZ$	
2.	$62°$	**B.**	producto de las diagonales d_1 y d_2	
3.	$d_1 d_2$	**C.**	a al cuadrado	
4.	$\sqrt{x}$	**D.**	arco EF	
5.	$\square WXYZ$	**E.**	círculo A	
6.	n-gono	**F.**	medida del arco QR	
7.	$\overset{\frown}{EF}$	**G.**	raíz cuadrada de x	
8.	a^2	**H.**	pi	
9.	π	**I.**	polígono de muchos lados	
10.	$m\overset{\frown}{QR}$	**J.**	62 grados	

Escribe las descripciones como expresiones matemáticas usando los símbolos apropiados.

11. a al cuadrado más b al cuadrado es igual a c al cuadrado _____

12. el área es igual a una mitad del producto de las dos diagonales _____

13. la medida del arco AC es 105 grados _____

14. el área es igual a pi por el radio al cuadrado _____

15. la raíz cuadrada de 225 es 15 _____

16. círculo P _____

17. el arco XY es congruente con el arco PQ _____

18. paralelogramo $ABCD$ _____

19. el área es igual a una mitad por la altura por la suma de las dos bases
_____

20. cuatro al cuadrado es igual a diecéis _____

7C: Leer/Escribir símbolos matemáticos   Para usar después de la Lección 7-7

Destreza de estudio: Cuando leas un problema matemático, asegúrate de que señalas con marcador o de que anotas la información importante del problema. No te olvides de estudiar cualquier diagrama o figura que acompañe al problema. Luego, cuando estés resolviendo el problema, mira la información que resaltaste o las notas que tomaste para saber los valores que necesitarás para resolver el problema.

Usa la siguiente descripción y diagrama para contestar las preguntas.

En el diagrama se muestra la forma de un tejado visto desde arriba. El propietario del edificio está cubriendo el tejado con nuevas tejas. Tres paquetes de tejas planas se llaman un *cuadro* y cubren 100 pies cuadrados. Los paquetes de tejas cuestan $9 cada uno. Un obrero experto especializado en tejados puede poner un paquete de tejas en un promedio de 15 minutos.

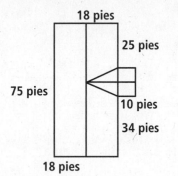

18 pies
25 pies
75 pies
10 pies
34 pies
18 pies

1. ¿Cuál es el área del tejado?_____

2. ¿Cuántos pies cuadrados cubre un paquete de tejas?_____

3. ¿Cuántos paquetes de tejas se necesitan?_____

4. ¿Cuántos cuadros de tejas se necesitan?_____

5. ¿Cuál es el precio de un paquete de tejas?_____

6. ¿Cuál es el precio de un cuadro de tejas?_____

7. ¿Cuánto tiempo tardará un obrero especializada en poner un cuadro de tejas?_____

8. ¿Cuánto tiempo tardará un obrero especializado en terminar todo el trabajo?_____

9. Si el obrero cobra $30 la hora, ¿cuánto ganará por el trabajo?_____

10. ¿Cuál es el precio total del trabajo?_____

7D: Vocabulario

Para usar con el Repaso del capítulo

Destreza de estudio: Las matemáticas tienen su propio vocabulario, con frecuencia con muchos términos nuevos en cada capítulo. Algunos términos matemáticos pueden tener diferentes significados en el lenguaje de cada día. Asegúrate de que entiendes los distintos significados de dichos términos.

Llena los espacios en blanco en cada oración. Copia las letras de los espacios numerados en las casillas con el mismo número que aparecen al pie de la página para descubrir un dicho famoso de Euclides.

1. Los/Las __ __ __ __ __   __ __ __ __ __ __ __ __ __ __ tienen exactamente
              28   6   9
   un punto en común.

2. Un medio círculo se conoce como un/una __ __ __ __ __ __ __ __ __ __ __.
                  11   29   18

3. El punto desde el cual todos los puntos en la circunferencia de un círculo son equidistantes es el/la __ __ __ __ __ __.
         17

4. Una fracción de la circunferencia de un círculo se conoce como el/la
   __ __ __ __ __ __ __ __   __ __ __.
    4   30   5

5. El área de un rectángulo es el producto de su __ __ __ __ por la altura.
             34 2

6. Un/Una __ __ __ __ __ __ __ es el conjunto de todos los puntos en un plano
         15   22
   equidistante de un punto dado.

7. Un ángulo formado por dos radios de un círculo se llama __ __ __ __ __ __
                               32
   __ __ __ __ __ __.
       23

8. Los/Las __ __ __ __   __ __ __ __ __ __ __ __ miden lo mismo
       20   27   1
   y están en el mismo círculo o círculos congruentes.

9. El/La __ __ __ __ __ __ __ de un círculo es igual a dos veces el radio.
        24

10. En un círculo, un/una __ __ __ __   __ __ __ __ es mayor que un semicírculo.
               31   10   21

11. Los/Las __ __ __ __ __ __   __ __ __ __ __ __
                          26   25
    tienen un centro común.

12. Un/Una __ __ __ __   __ __ __ __ __ es menor que un semicírculo.
          14   7

13. Los números 3, 4 y 5 se conocen como un/una __ __ __ __ __
                              13   12
    __ __ __ __ __ __.
       8

14. La mitad de un diámetro es un/una __ __ __ __ __.
              16

15. El/La __ __ __ __ __ __ __ de un polígono regular es la distancia perpendicular desde
          33
    el centro a un lado.

		Ñ														
1	2	3	4	5		6	7		8	9	10	11	12	13	14	15	16

(,)

17	18													

H																
19	20	21		22	23	24	25	26	27	28		29	30	31	32	33	34

8A: Organizador gráfico

Destreza de estudio: Cuando tomes notas, escribe todo lo que esté anotado en el pizarrón o en la transparencia. Todo lo que anotas puede darte una pista de lo que podría salir en una prueba o examen.

Escribe tus respuestas.

1. ¿Cuál es el título del capítulo? _____

2. Busca la página del Contenido donde esté este capítulo al principio del libro. Nombra cuatro temas que estudiarás en este capítulo.

   _____   _____

   _____   _____

3. ¿Cuál es el tema de la página Leer matemáticas? _____

4. ¿Cuál es el tema de la página Estrategia para la prueba? _____

5. Hojea las páginas del capítulo. Enumera cuatro conexiones con el mundo real que se tratan en este capítulo.

   _____   _____

   _____   _____

6. Completa el siguiente organizador gráfico a medida que avanzas en el capítulo.
   • En el centro, escribe el título del capítulo.
   • Cuando comiences una lección, escribe el nombre de la lección en un rectángulo.
   • Cuando termines una lección, escribe una destreza o un concepto clave en un óvalo conectado a ese bloque de la lección.
   • Cuando termines el capítulo, usa este organizador gráfico como ayuda para repasar.

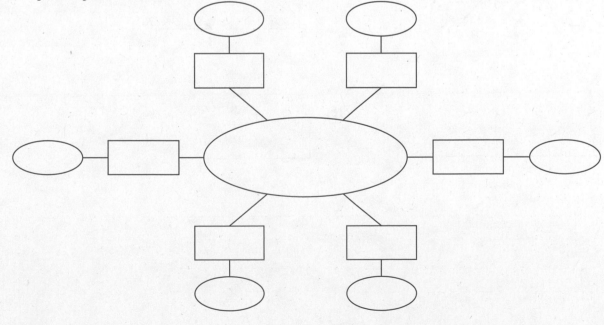

8B: Leer/Escribir símbolos matemáticos   Para usar después de la Lección 8-2

Destreza de estudio: Otra destreza importante asociada con la lectura y la escritura de símbolos es la comparación. En matemáticas, con frecuencia se te pedirá que compares diagramas y que busques semejanzas o congruencias. Al hacerlo, debes prestar mucha atención a los símbolos del diagrama.

Determina si cada una de las siguientes expresiones es equivalente a la razón *a* a *b*.

1. $a + b$

2. $2ab$

3. $\dfrac{a}{b}$

4. $a - b$

5. $a : b$

6. $\dfrac{b}{a}$

7. $a = b$

8. $a^2 \div ab$

9. $b : a$

10. ab

Enuncia el postulado o teorema que puedes usar para demostrar que los triángulos son congruentes. Si no se puede demostrar que los triángulos son congruentes, escribe *no es posible*.

11.

12.

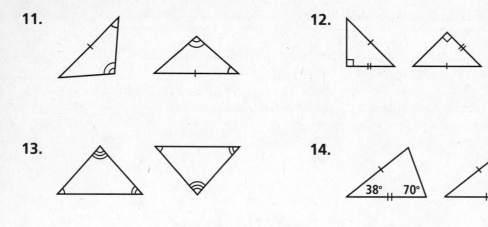

13.

14.

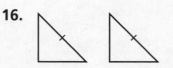

15.

16.

8C: Comprensión de lectura

Destreza de estudio: Cuando estés leyendo para resolver un problema, es posible que tengas que recordar un concepto o destreza que aprendiste antes en un curso para resolver el problema. Por eso es una buena idea anotar ideas o conceptos importantes en una libreta. El escribir esos conceptos te ayudará a recordarlos y estarán en tu libreta para que los puedas repasar en cualquier momento más adelante.

Lee el problema y estudia el diagrama. Luego contesta las preguntas para que te ayuden a resolver el problema.

Jaime quiere saber la altura de un edificio, pero no tiene forma de medirla directamente. Desde un punto *A*, a 10 pies de la base del edificio *B*, el ángulo a un punto *C*, 5 pies por encima de la base del edificio es de 27º. Localiza el punto *D* en el suelo, cuyo ángulo hasta la parte superior del edificio, *H* es 27º. Ahora puedes usar la semejanza de estos dos triángulos para calcular la altura del edificio.

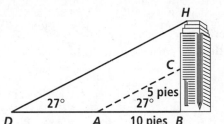

1. ¿Qué dos triángulos son semejantes? _____

2. ¿Por qué son semejantes los dos triángulos? _____

3. ¿Cuál es la razón de *CB* : *AB*? _____

4. ¿Cuál es la razón de *HB* : *DB*? _____

5. Enuncia una proporción que compare lados correspondientes de triángulos semejantes y que te permitiría hallar *HB*. _____

6. Si *DB* = 500 pies, ¿cuál es la altura del edificio? _____

8D: Vocabulario

Destreza de estudio: En cualquier curso, cuando aprendes muchos términos de vocabulario, es bueno de vez en cuando volver atrás y pasar algún tiempo repasando algunos de los términos de capítulos anteriores. En muchos cursos, tendrás que comprender términos de vocabulario a partir de que hayan sido presentados.

Empareja cada término de la columna A con su definición en la columna B uniéndolos con una línea.

Columna A

1. rectas paralelas
2. circuncentro
3. polígonos semejantes
4. ángulo central
5. segmento de un círculo
6. media geométrica
7. sector de un círculo
8. arcos adyacentes
9. polígono
10. longitud de arco
11. círculo
12. razón
13. apotema
14. centroide
15. proporción
16. hipotenusa
17. ángulo obtuso
18. triángulo escaleno
19. ángulos interiores alternos
20. ángulos interiores del mismo lado

Columna B

A. número positivo tal que el producto de los extremos es igual al cuadrado del número

B. triángulo sin lados congruentes

C. figura cerrada con al menos tres lados

D. fracción de la circunferencia del círculo

E. ángulo cuyo vértice es el centro del círculo

F. ángulos en lados opuestos de la secante

G. conjunto de todos los puntos en un plano equidistantes de un punto

H. lado opuesto al ángulo recto de un triángulo

I. parte de un círculo delimitada por un arco y el segmento que toca sus extremos

J. las bisectrices perpendiculares de los lados de un triángulo son concurrentes en este punto

K. región delimitada por dos radios y su arco intersecado

L. arcos en el mismo círculo con exactamente un punto en común

LL. ángulos correspondientes congruentes y lados correspondientes proporcionales

M. dos rectas que son coplanarias y no se intersectan

N. en un polígono, la distancia perpendicular del centro a un lado

Ñ. ángulo cuya medida está entre 90 y 180 grados

O. enunciado de que dos razones son iguales

P. dos ángulos que deben ser suplementarios si las rectas son paralelas

Q. las medianas de un triángulo son concurrentes en este punto

R. comparación de dos cantidades mediante la división

9A: Organizador gráfico

Destreza de estudio: Para recordar los conceptos matemáticos, puedes estudiar con un amigo. Pregúntense los detalles de las reglas y procedimientos de la geometría. Usa tus notas como ayuda para determinar posibles preguntas de examen. Repasar justo antes de acostarte te ayudará a retener el material que estudies.

Escribe tus respuestas.

1. ¿Cuál es el título del capítulo? _____

2. Busca la página del Contenido donde esté este capítulo al principio del libro. Nombra cuatro temas que estudiarás en este capítulo.

_____   _____

_____   _____

3. ¿Cuál es el tema de la página Leer matemáticas? _____

4. ¿Cuál es el tema de la página Estrategia para la prueba? _____

5. Hojea las páginas del capítulo. Enumera cuatro conexiones con el mundo real que se tratan en este capítulo.

_____   _____

_____   _____

6. Completa el siguiente organizador gráfico a medida que avanzas en el capítulo.
- En el centro, escribe el título del capítulo.
- Cuando comiences una lección, escribe el nombre de la lección en un rectángulo.
- Cuando termines una lección, escribe una destreza o un concepto clave en un óvalo conectado a ese bloque de la lección.
- Cuando termines el capítulo, usa este organizador gráfico como ayuda para repasar.

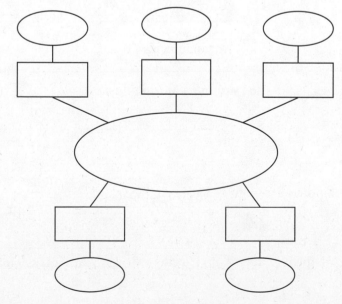

9B: Comprensión de lectura

Para usar después de la Lección 9-3

Destreza de estudio: A veces hay más de una manera para expresar una idea o concepto con símbolos. Por ejemplo, el recíproco de x puede expresarse como $\frac{1}{x}$ ó x^{-1}. Asegúrate de que conoces todos los símbolos que representan las ideas o conceptos que pueden expresarse de más de una manera.

Empareja la expresión matemática de la columna A con el significado equivalente en la columna B uniéndolos con una línea.

Columna A

1. $\text{sen } Q$

2. $\vec{\mathbf{u}}$

3. $\tan^{-1}(0.5)$

4. $90 - x$

5. $\vec{\mathbf{w}}\,\langle 4, 5 \rangle$

6. $r \approx 2.$

7. D'

8. $\cos T$

9. $x \leftrightarrow y$

10. $180 - x$

11. $\triangle ABC \sim \triangle EFG$

12. $j \rightarrow k$

13. $\overset{\frown}{WX}$

14. $\tan S$

Columna B

A. r es aproximadamente igual a 2.7

B. suplemento de un ángulo cuya medida es x

C. lado adyacente al $\angle T$ dividido por la hipotenusa

D. complemento de un ángulo cuya medida es x

E. lado opuesto del $\angle S$ dividido por el lado adyacente al $\angle S$

F. j implica k

G. imagen de D

H. lado opuesto del $\angle Q$ dividido por la hipotenusa

I. tangente inversa de 0.5

J. x si y sólo si y

K. arco WX

L. vector $\mathbf{u}$

LL. coordenadas del vector $\mathbf{w}$

M. triángulo ABC es semejante al triángulo EFG

Escribe las siguientes expresiones usando los símbolos apropiados.

15. El inverso del seno del $\angle A$ es igual a $\frac{5}{12}$. _____

16. El vector AB tiene como coordenadas 3 y –2. _____

17. El triángulo ABC es semejante al triángulo XYZ. _____

18. p es verdadero si y sólo si q es verdadero. _____

19. La medida del ángulo A es aproximadamente 52 grados. _____

20. La tangente del ángulo Z es siete dividido por 24. _____

9C: Leer/Escribir símbolos matemáticos   Para usar después de la Lección 9-5

Destreza de estudio: Cuando estés haciendo una prueba, lee todas las instrucciones y dale un vistazo a los problemas de cada sección. Si ves que vas a necesitar un concepto en concreto que normalmente tienes problemas para recordar, tómate un minuto para anotar el concepto. Por ejemplo, si ves que vas a necesitar usar razones trigonométricas, tómate un minuto para anotar las razones trigonométricas comunes. Luego puedes usar esas notas para responder a las preguntas.

Lee cada descripción de un triángulo rectángulo y contesta la pregunta que le sigue.

1. En el triángulo rectángulo CBA, el sen $C = \frac{10}{12}$. ¿Cuál es la longitud del otro cateto?

A. 5 **B.** $2\sqrt{11}$

C. $\frac{12}{10}$ **D.** 44

2. En el triángulo rectángulo ZYX, donde el $\angle Y$ es el ángulo recto, la tan $Z = \frac{18}{x}$. Halla la tan X.

A. $\frac{x}{18}$ **B.** $\frac{18}{x}$

C. 18 **D.** x^2

3. En el $\triangle MNO$ donde el $\angle N$ es el ángulo recto, el cos $M = \frac{6}{n}$. ¿Cuál es el único valor posible para el sen M?

A. $\frac{n}{6}$ **B.** 6

C. n **D.** $\frac{3}{n}$

4. En el triángulo rectángulo PQR, la tan $R = \frac{3}{4}$. ¿Cuál es la longitud de la hipotenusa?

A. $\frac{4}{3}$ **B.** 3

C. 5 **D.** 4

5. En el $\triangle EFG$, donde el $\angle F$ es el ángulo recto, el sen $G = \frac{y}{x}$. ¿Cuál es la longitud del otro cateto?

A. $\sqrt{x^2 + y^2}$ **B.** x

C. y **D.** $\sqrt{x^2 - y^2}$

6. En el triángulo rectángulo UVW, donde el $\angle V$ es el ángulo recto, el cos $U = \frac{a}{c}$. Halla el sen U.

A. $\frac{\sqrt{c^2 - a^2}}{a}$ **B.** $\frac{\sqrt{c^2 - a^2}}{c}$

C. $\frac{c}{\sqrt{c^2 - a^2}}$ **D.** $\sqrt{c^2 - a^2}$

7. En el triángulo rectángulo JKL, donde el $\angle K$ es el ángulo recto, el sen $J = \frac{4}{x}$. ¿Cuál es la longitud de la hipotenusa?

A. $\sqrt{x^2 + 16}$ **B.** x

C. y **D.** $\sqrt{x^2 - y^2}$

8. En el $\triangle STU$, donde el $\angle T$ es el ángulo recto, la tan $S = \frac{8}{10}$. ¿Cuál de las siguientes fracciones debe ser el cos S?

A. $\frac{10}{x}$ **B.** $\frac{x}{10}$

C. $\frac{8}{x}$ **D.** $\frac{x}{8}$

9D: Vocabulario

Para usar con el Repaso del capítulo

Destreza de estudio: La mayoría de los exámenes de matemáticas no tienen una sección de vocabulario, sólo problemas para resolver. Sin embargo, para poder resolver los problemas debes entender el vocabulario que se usa en las preguntas. La próxima vez que estudies para una prueba de matemáticas dedica algún tiempo a estudiar el vocabulario del capítulo.

Completa la sopa de letras.

ángulo de depresión	ángulo de elevación	congruente
coseno	media geométrica	rectángulo áureo
hipotenusa	identidad	tangente inversa
magnitud	medición	opuesto
postulado	proporción	pitagórico
resultante	escala	semejante
seno	tangente	vector

```
N O I C A V E L E E D O L U G N A
A Z W S T N O I Q I D E S I Z N C
T A I D E N T I D A D O E T G R I
E A L G U Z A R O L C A R U O E R
A P N F I O E D A I S A L T E C T
N A L G N K A T R U B O S G T T E
O N B E E L T O N E D E N M N A M
I G S Z U N G E T E U A A A E N O
C E P T G A T N D P G M A G U G E
R F S N T O A E O E M N P N R U G
O O O I P J P G I I Q T A I G L A
P C P I E R L R M N C R I T N O I
O N H M E R O T C E V I R U O A D
R A E S A K Q E B R J E D D C U E
P S I T A N X S D E Z M R E R R M
M O E T N A T L U S E R D S M E B
N W G O N E S O C E S C A L A O N
```

10A: Organizador gráfico

Destreza de estudio: Como ayuda para recordar fórmulas y otra información importante, utiliza una regla nemotécnica. Una regla nemotécnica es un recurso para facilitar la memoria y que consiste en asociar nueva información con algo que nos resulta familiar. Por ejemplo, para recordar una fórmula o una ecuación cámbiala por algo que tenga sentido. Para recordar los términos del sistema métrico kilo, hecto, deca, metro, deci, centi, mili, en orden, usa la primera letra de cada término métrico para representar una palabra, como *Kiko Habana debe montar dos caballos mágicos.* La clave consiste en que tú crees tus propias reglas; así no las olvidarás.

Escribe tus respuestas.

1. ¿Cuál es el título del capítulo? _____

2. Busca la página del Contenido donde esté este capítulo al principio del libro. Nombra cuatro temas que estudiarás en este capítulo.

_____   _____

_____   _____

3. ¿Cuál es el tema de la página Leer matemáticas? _____

4. ¿Cuál es el tema de la página Estrategia para la prueba? _____

5. Hojea las páginas del capítulo. Enumera cuatro conexiones con el mundo real que se tratan en este capítulo.

_____   _____

_____   _____

6. Completa el siguiente organizador gráfico a medida que avanzas en el capítulo.
 • En el centro, escribe el título del capítulo.
 • Cuando comiences una lección, escribe el nombre de la lección en un rectángulo.
 • Cuando termines una lección, escribe una destreza o un concepto clave en un óvalo conectado a ese bloque de la lección.
 • Cuando termines el capítulo, usa este organizador gráfico como ayuda para repasar.

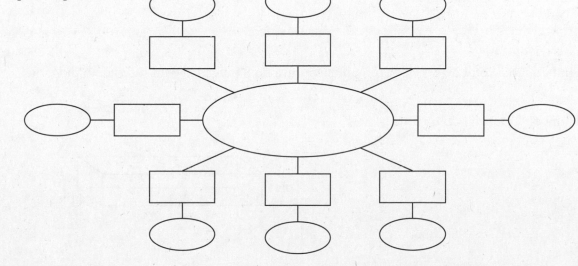

10B: Leer/Escribir símbolos matemáticos   Para usar después de la Lección 10-3

Destreza de estudio: Cuando leas problemas de matemáticas, busca las palabras clave que indican información importante. En geometría, estas palabras clave son generalmente palabras que describen las dimensiones de una figura. La altura, el ancho, la longitud, el radio, el diámetro y el volumen son sólo unos cuantos ejemplos de palabras clave que describen información que podría ser importante para resolver el problema.

Lee el siguiente ejemplo y luego responde a las preguntas que siguen.

Halla el área total de un cilindro que tiene un radio de 3 pulgadas y una altura de 5 pulgadas.

Piensa: Bosqueja el cilindro que se describe. Halla el área de la parte superior y la parte inferior.

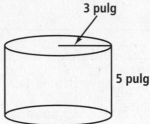

La parte superior es un círculo.
$A = \pi r^2$
$A = \pi \cdot (3)^2$
$A = \pi \cdot 9$
$A = 9\pi \approx 28.3 \text{ pulg}^2$

Piensa: Halla el área de la superficie lateral. Bosqueja el rectángulo.

$A = bh = C \cdot 5$
La fórmula de la circunferencia es $C = 2\pi r$.
$C = 2\pi r$
$C = 2\pi \cdot 3$
$A = 6\pi \cdot 5$
$A = 30\pi \approx 94.2 \text{ pulg}^2$

Piensa: Suma las áreas de las partes superior, inferior y laterales.
$S.A. = 9\pi + 9\pi + 30\pi$
$S.A. = 48\pi \approx 150.8 \text{ pulg}^2$

1. Halla el área total de un cilindro con una altura de 8 pulgadas y un radio de 6 pulgadas.

2. Halla el área total del prisma.

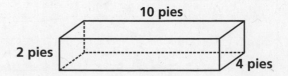

10C: Comprensión de lectura

Destreza de estudio: Es importante leer atentamente las instrucciones antes de hacer cualquier ejercicio. Generalmente se necesita más de un paso para resolver un problema y sólo las instrucciones revelarán todos los pasos que son necesarios.

Dadas las fórmulas siguientes, escribe con palabras lo que significa la fórmula y describe brevemente para qué se usa la fórmula.

1. $A = \frac{1}{2}bh$ _____

2. $m = \frac{y_2 - y_1}{x_2 \quad x_1}$ _____

3. $a^2 + b^2 = c^2$ _____

4. $A = \pi r^2$ _____

5. $\tan \angle A = \dfrac{\text{lado opuesto}}{\text{lado adyacente}}$ _____

6. $V = \pi r^2 h$ _____

7. $A = \frac{1}{2}d_1 d_2$ _____

8. $A = la$ _____

9. $\left(\dfrac{x_1 + x_2}{2}, \dfrac{y_1 + y_2}{2} \right)$ _____

10. $C = 2\pi r$ _____

11. $V = \frac{1}{3}\pi r^2 h$ _____

12. $d = \sqrt{(x_1 - x_2)^2 + (y_2 - y_1)^2}$ _____

13. $A = \frac{1}{2}h(b_1 + b_2)$ _____

14. $V = e^3$ _____

10D: Vocabulario

Para usar con el Repaso del capítulo

Destreza de estudio: Considera el trabajar con un compañero para aprender términos de vocabulario nuevos. Por turnos, uno dice el término y el otro la definición. Si quieren, pueden hacer tarjetas.

Completa los espacios en blanco con la palabra apropiada.

1. Un/Una_____ es una figura tridimensional cuyas superficies son polígonos.

2. Un/Una_____ es un segmento formado por la intersección de dos caras.

3. Tres o más aristas se encuentran en un punto llamado_____.

4. Un dibujo_____ muestra la parte superior, la parte frontal y la vista del lado derecho de una figura tridimensional.

5. La intersección de un cuerpo sólido y un plano es un/una_____.

6. Un/Una_____ es un poliedro con dos bases paralelas congruentes.

7. Un/Una_____ es un segmento perpendicular que une los planos de las bases en un prisma.

8. Un/Una_____ tiene caras laterales que son rectángulos y una arista lateral es una altitud.

9. La longitud de la altitud de una cara lateral de una pirámide es un/una_____.

10. Un/Una_____ es como una pirámide pero su base es un círculo.

11. El/La_____ es el espacio que ocupa una figura.

12. Un/Una_____ es el conjunto de todos los puntos en el espacio equidistantes de un punto dado.

13. Un gran círculo divide una esfera en dos_____.

14. Los/Las_____ tienen la misma forma, y todas las dimensiones correspondientes están en proporción.

15. En un/una_____ las caras laterales son rectángulos y una arista lateral es una altitud.

16. El ángulo de medida por debajo de una línea horizontal es un/una_____.

17. La razón_____ es el lado opuesto sobre el lado adyacente en un triángulo rectángulo.

18. El/La_____ es el lado opuesto sobre la hipotenusa en un triángulo rectángulo.

19. El/La_____ es el lado opuesto al ángulo recto.

20. Un/Una_____ es cualquier cantidad que tiene magnitud y dirección.

21. El/La_____ es la suma de dos vectores.

11A: Organizador gráfico

Destreza de estudio: Después de leer una sección, recuerda la información. Hazte preguntas sobre la sección. Si no puedes recordar suficiente información, vuelve a leer las partes que te son difíciles de recordar. Cuanto más tiempo pases estudiando, más información podrás recordar.

Escribe tus respuestas.

1. ¿Cuál es el título del capítulo? _____

2. Busca la página del Contenido donde esté este capítulo al principio del libro. Nombra cuatro temas que estudiarás en este capítulo.

    _____   _____

    _____   _____

3. ¿Cuál es el tema de la página Leer matemáticas? _____

4. ¿Cuál es el tema de la página Estrategia para la prueba? _____

5. Hojea las páginas del capítulo. Enumera cuatro conexiones con el mundo real que se tratan en este capítulo.

    _____   _____

    _____   _____

6. Completa el siguiente organizador gráfico a medida que avanzas en el capítulo.
    - En el centro, escribe el título del capítulo.
    - Cuando comiences una lección, escribe el nombre de la lección en un rectángulo.
    - Cuando termines una lección, escribe una destreza o un concepto clave en un óvalo conectado a ese bloque de la lección.
    - Cuando termines el capítulo, usa este organizador gráfico como ayuda para repasar.

11B: Leer/Escribir símbolos matemáticos   **Para usar después de la Lección 11-3**

Destreza de estudio: Cuando leas, usa el contexto como ayuda para decidir qué significado de entre varios tiene una palabra. Las pistas que da el contexto a veces también pueden ayudarte a decidir los significados de términos desconocidos.

Usa símbolos para describir las relaciones descritas a continuación.

1. La recta *BC* es tangente al círculo. ¿Qué sabes sobre la recta *BC* y el radio?

   _____

2. En $\odot G$, la recta *EF* es perpendicular a $\overline{GH}$. ¿Qué sabes sobre la recta y el círculo?

   _____

   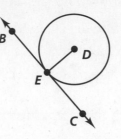

3. Si $\overline{WX}$ y $\overline{ZX}$ son tangentes al círculo en *W* y *Z*, ¿qué sabes sobre los dos segmentos?

   _____

4. Si $\overline{AB}$ es un diámetro y bisecta *XY* y *Z* es el centro del círculo, ¿qué sabes sobre $\overline{AB}$ y $\overline{XY}$?

   _____

5. $\overline{JH}$ es un diámetro y bisecta $\overline{KL}$ y *G* es el centro del círculo. Si *LH* = 5 y *ML* = 3, ¿cuál es la longitud de *HM*?

   _____

   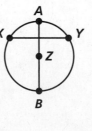

11C: Comprensión de lectura

Destreza de estudio: A veces es difícil entender definiciones matemáticas que lees a menos que puedas también ver un diagrama. Cuando creas que tendrás dificultad en recordar las definiciones, dibuja un diagrama y rotúlalo con las definiciones.

Consulta el diagrama para identificar las partes de la siguiente lista.

1. 2 diámetros _____

2. 3 cuerdas _____

3. segmento secante _____

4. segmento tangente _____

5. 3 arcos menores _____

6. 3 arcos mayores _____

7. 2 arcos congruentes _____

8. ángulo central _____

9. ángulo inscrito _____

10. semicírculo _____

11. ángulo recto _____

12. ángulo que es igual a la mitad de la suma de $m\widehat{DF}$ y $m\widehat{AB}$ _____

13. ángulo que es igual a la mitad de la diferencia de $m\widehat{AD}$ y $m\widehat{AC}$ _____

14. ángulo que es igual a la mitad de $m\widehat{ED}$ _____

15. tangente que es igual a $\sqrt{(HC)(HD)}$ _____

11D: Vocabulario

Para usar con el Repaso del capítulo

Destreza de estudio: Procura estar atento cuando aprendas un nuevo concepto o palabras de vocabulario nuevas. Si tienes la mente en otro sitio cuando lees o cuando escuchas en una clase, es probable que no se te graben en la memoria los conceptos que leas o escuches.

Empareja cada término de la columna A con su definición en la columna B uniéndolos con una línea.

Columna A	Columna B
1. cuerda	**A.** cantidad de espacio que ocupa una figura
2. forma general de una ecuación de un círculo	**B.** un triángulo con todos los vértices yaciendo sobre un círculo
3. poliedro	**C.** conjunto de todos los puntos en el espacio equidistantes de un punto dado
4. cono	**D.** formado por la intersección de un cuerpo sólido y un plano
5. altitud	
6. lugar geométrico	**E.** como una pirámide pero su base es un círculo
7. resultante	**F.** segmento formado por la intersección de dos caras de un poliedro
8. prisma recto	
9. ángulo de elevación	**G.** segmento perpendicular que une los planos de las bases de un prisma
10. triángulo circunscrito	**H.** figura tridimensional cuyas superficies son polígonos
11. esfera	
12. sección transversal	**I.** $a^2 + b^2 = c^2$
13. Teorema de Pitágoras	**J.** segmento cuyos extremos están en un círculo
14. vector	**K.** ángulo de medida sobre una línea horizontal
15. volumen	**L.** poliedro con caras laterales que son rectángulos y una arista lateral que es una altura
16. altura oblicua	
17. ángulo de depresión	**LL.** longitud de la altura de una cara lateral de una pirámide
18. secante	**M.** línea que interseca un círculo en dos puntos
19. arista	**N.** conjunto de todos los puntos que satisface una condición establecida
20. tangente	
	Ñ. suma de dos vectores
	O. cualquier cantidad que tiene magnitud y dirección
	P. ángulo de medida por debajo de una línea horizontal
	Q. recta perpendicular al radio de un círculo en el extremo del radio
	R. $(x - h)^2 + (y - k)^2 = r^2$

12A: Organizador gráfico

Destreza de estudio: Guarda las notas que tomas a medida que avanzas en cada capítulo como ayuda para organizar tus ideas y facilitar el repaso del material cuando termines el capítulo.

Escribe tus respuestas.

1. ¿Cuál es el título del capítulo? _____

2. Busca la página del Contenido donde esté este capítulo al principio del libro. Nombra cuatro temas que estudiarás en este capítulo.

_____   _____

_____   _____

3. ¿Cuál es el tema de la página Leer matemáticas? _____

4. ¿Cuál es el tema de la página Estrategia para la prueba? _____

5. Hojea las páginas del capítulo. Enumera cuatro conexiones con el mundo real que se tratan en este capítulo.

_____   _____

_____   _____

6. Completa el siguiente organizador gráfico a medida que avanzas en el capítulo.
- En el centro, escribe el título del capítulo.
- Cuando comiences una lección, escribe el nombre de la lección en un rectángulo.
- Cuando termines una lección, escribe una destreza o un concepto clave en un óvalo conectado a ese bloque de la lección.
- Cuando termines el capítulo, usa este organizador gráfico como ayuda para repasar.

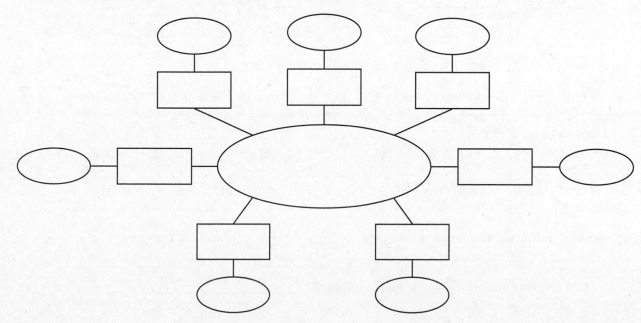

12B: Comprensión de lectura

Para usar después de la Lección 12-3

Destreza de estudio: ¿Has leído alguna vez una oración y luego te diste cuenta de que no te acordabas de lo que leíste? Si lees cuando estás distraído, no retendrás la información que lees. Trata de leer en algún sitio tranquilo sin distracciones. Si aun así no puedes concentrarte en lo que estás leyendo, toma un descanso y vuelve a leer cuando estés más descansado.

Lee el siguiente párrafo y contesta las preguntas que siguen.

El condado de Fulton ha dispuesto sus carreteras en una cuadrícula rectangular. Las carreteras se han nombrado con letras y números. Las carreteras que se han nombrado con letras (A, B, C, etc.) van de este a oeste. Las carreteras que se han nombrado con números (1, 2, 3, etc.) van de norte a sur. Las líneas de la cuadrícula del condado son carretera A y carretera 1 en una esquina y carretera V y 24 en la esquina opuesta. La distancia entre dos carreteras cualesquiera con letras consecutivas o dos carreteras cualesquiera con números consecutivos es de una milla.

1. ¿Cuáles son las dimensiones del condado?
   A. 2 millas por 3 millas   **B.** 20 millas por 20 millas
   C. 22 millas por 24 millas   **D.** 21 millas por 23 millas

2. Si vivieras a 4 millas de la línea del condado, ¿en cuál de las siguientes carreteras podrías vivir? Marca las que aplican.

   _____ 1   _____ 2   _____ 3   _____ 4

   _____ 5   _____ 6   _____ 19   _____ 20

   _____ B   _____ C   _____ D   _____ E

   _____ R   _____ S   _____ T   _____ U

3. Describe el centro exacto del condado.

4. Si vivieras en la intersección de las carreteras 3 y E y quisieras ir a la casa de un amigo en las carreteras 9 y M, ¿qué distancia tiene este viaje siguiendo las carreteras que existen?
   A. 10 millas   **B.** 12 millas   **C.** 14 millas   **D.** 16 millas

5. ¿Cuál es la distancia más corta en la pregunta 4, si no tuvieras que seguir las carreteras que existen ("en línea recta")? _____

6. Describe la ubicación del punto que está en la mitad del camino de la pregunta 5.
   _____

7. ¿Cuál es la longitud de la diagonal del condado? _____

12C: Leer/Escribir símbolos matemáticos   Para usar después de la Lección 12-6

Destreza de estudio: Cuando estés leyendo un problema verbal extenso considera el escribir un resumen de la información como ayuda para evaluar lo que dice el problema.

Clasifica las isometrías que se muestran. Luego di si las orientaciones son iguales u opuestas.

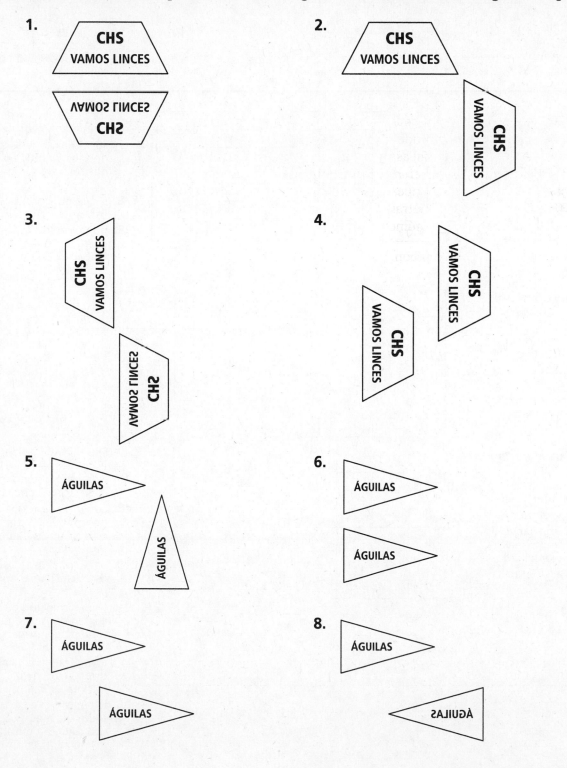

12D: Vocabulario

Para usar con el Repaso del capítulo

Destreza de estudio: Cuando repases información para un control o una prueba, divide la información en pequeñas secciones. Recuerda la información de cada sección hasta que estés seguro de que la conoces antes de pasar a una nueva sección.

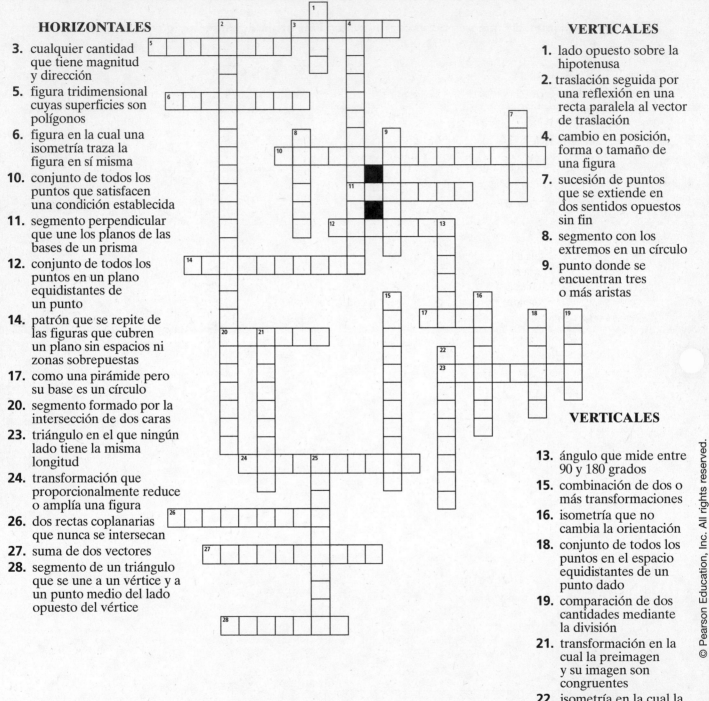

HORIZONTALES

3. cualquier cantidad que tiene magnitud y dirección

5. figura tridimensional cuyas superficies son polígonos

6. figura en la cual una isometría traza la figura en sí misma

10. conjunto de todos los puntos que satisfacen una condición establecida

11. segmento perpendicular que une los planos de las bases de un prisma

12. conjunto de todos los puntos en un plano equidistantes de un punto

14. patrón que se repite de las figuras que cubren un plano sin espacios ni zonas sobrepuestas

17. como una pirámide pero su base es un círculo

20. segmento formado por la intersección de dos caras

23. triángulo en el que ningún lado tiene la misma longitud

24. transformación que proporcionalmente reduce o amplía una figura

26. dos rectas coplanarias que nunca se intersecan

27. suma de dos vectores

28. segmento de un triángulo que se une a un vértice y a un punto medio del lado opuesto del vértice

VERTICALES

1. lado opuesto sobre la hipotenusa

2. traslación seguida por una reflexión en una recta paralela al vector de traslación

4. cambio en posición, forma o tamaño de una figura

7. sucesión de puntos que se extiende en dos sentidos opuestos sin fin

8. segmento con los extremos en un círculo

9. punto donde se encuentran tres o más aristas

VERTICALES

13. ángulo que mide entre 90 y 180 grados

15. combinación de dos o más transformaciones

16. isometría que no cambia la orientación

18. conjunto de todos los puntos en el espacio equidistantes de un punto dado

19. comparación de dos cantidades mediante la división

21. transformación en la cual la preimagen y su imagen son congruentes

22. isometría en la cual la orientación de la imagen está al revés

25. isometría que traza todos los puntos de una figura la misma distancia en la misma dirección

Respuestas

Capítulo 1A

1. Herramientas de geometría **2.** Las respuestas variarán. Ejemplo: patrones y razonamiento inductivo; puntos, rectas y planos; segmentos, rayos y rectas paralelas; medir segmentos y ángulos; construcciones básicas; el plano de coordenadas; y el perímetro, la circunferencia y el área. **3.** leer un ejemplo **4.** escribir respuestas encasilladas en una tabla **5.** ventas de negocios, viajes, el tiempo, forma física **6.** compruebe el trabajo de los estudiantes. Capítulo: Herramientas de geometría; Patrones y razonamiento inductivo: usar el razonamiento inductivo; Puntos, rectas y planos; términos básicos y postulados de geometría; Segmentos, rayos, rectas paralelas y planos: identificar segmento y rayos, y reconocer figuras paralelas; Medir segmentos y ángulos: hallar longitudes de segmentos y medidas de ángulos; Construcciones básicas: construir segmentos, ángulos y bisectrices; El plano de coordenadas–Álgebra: hallar la distancia y el punto medio de un segmento; Perímetro, circunferencia y área: hallar el perímetro, la circunferencia y el área

Capítulo 1B

1. La recta BC es paralela a la recta MN. **2.** La recta CD **3.** X, Q y R yacen sobre la misma recta. **4.** segmento de recta GH **5.** Rayo AB **6.** BD es una recta. **7.** X, Q y R yacen sobre el mismo plano. **8.** La longitud del segmento XY es mayor que la longitud del segmento ST. **9.** $MN = XY$
10. $GH = 2(KL)$ ó $\frac{1}{2}GH = KL$ **11.** $\overline{ST} \perp \overline{UV}$
12. plano $ABC \parallel$ plano XYZ **13.** $\overline{AB} \parallel \overline{DE}$
14. $XY + YV = XV$

Capítulo 1C

1. Las respuestas variarán. Ejemplo:
$\overleftrightarrow{AB} \parallel \overleftrightarrow{CD}$, $\overleftrightarrow{EF} \parallel \overleftrightarrow{GH}$, $\overline{JK} \cong \overline{LM}$, $\overline{JL} \cong \overline{KM}$,
$m\angle AJF + m\angle FJK = 180°$, $\angle HKB \cong \angle KMD$,
$\overleftrightarrow{DN} \perp \overleftrightarrow{CD}$ **2.** Los puntos A, M y S son colineales.
3. $\overleftrightarrow{AB}$, $\overleftrightarrow{HI}$, y $\overleftrightarrow{LN}$ se intersecan en el punto M.
4.

5.

Capítulo 1D

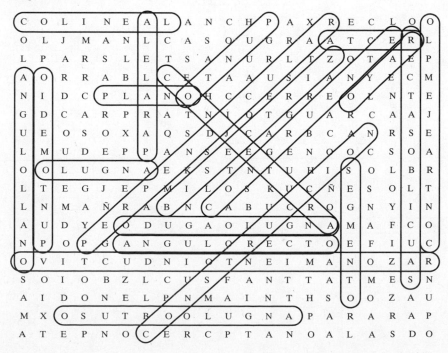

Capítulo 2A

1. Razonamiento y demostración **2.** Las respuestas variarán. Ejemplo: proposiciones condicionales; escribir bidireccionales; expresiones recíprocas y usar la Ley de la contrapositiva **3.** Leer para resolver problemas **4.** Escribir respuestas cortas **5.** literatura, artes del lenguaje, mantenimiento del automóvil, meteorología **6.** Compruebe el trabajo de los estudiantes. Capítulo: Razonamiento y demostración; Proposiciones condicionales: proposiciones condicionales y expresiones recíprocas; Bicondicionales y definiciones: escribir bicondicionales y reconocer buenas definiciones; Razonamiento deductivo: usar la Ley de la contrapositiva y usar la Ley del silogismo; Razonamiento en álgebra–Álgebra: conectar el razonamiento en álgebra y geometría; Demostrar la congruencia de ángulos: identificar pares de ángulos y teoremas sobre ángulos

Capítulo 2B

1. el segmento MN es congruente con el segmento PQ **2.** si p, entonces q **3.** la longitud de $\overline{MN}$ es igual a la longitud de $\overline{PQ}$ **4.** el ángulo XQV es congruente con el ángulo RDC **5.** si q, entonces p **6.** la medida del ángulo XQV es igual a la medida del ángulo RDC **7.** p si y sólo si q **8.** q si y sólo si p **9.** $a \rightarrow b$ **10.** $AB = MN$ **11.** $m\angle XYZ = m\angle RPS$ **12.** $b \rightarrow a$ **13.** $\overline{AB} \cong \overline{MN}$ **14.** $a \leftrightarrow b$ **15.** $\angle XYZ \cong \angle RPS$ **16.** $b \leftrightarrow a$

Capítulo 2C

1. 42 grados **2.** 38 grados **3.** $m\angle SFK = 115°, m\angle QFK = 65°$

Capítulo 2D

Capítulo 3A

1. Rectas paralelas y perpendiculares **2.** Las respuestas variarán. Ejemplo: propiedades de las rectas paralelas; hallar las medidas de ángulos en triángulos; clasificar polígonos; y representar rectas gráficamente **3.** Leer para desarrollar la demostración **4.** Escribir respuestas largas **5.** aviación, carpintería, diseño de muebles, ingeniería **6.** Compruebe el trabajo de los estudiantes. Capítulo: Rectas paralelas y perpendiculares; Propiedades de las rectas paralelas: identificar ángulos y propiedades de las rectas paralelas; Demostrar rectas paralelas: usar una transversal; Rectas paralelas y el teorema de la suma de los ángulos de un triángulo: hallar medidas de ángulos en triángulos; Los teoremas de la suma de ángulos de un polígono: clasificar polígonos y sumas de ángulos de polígonos; Rectas en el plano de coordenadas–Álgebra: representar gráficamente y escribir ecuaciones de rectas; Pendientes de rectas paralelas y perpendiculares–Álgebra: la pendiente de rectas paralelas y perpendiculares; Construir rectas paralelas y perpendiculares: construir rectas paralelas y perpendiculares

Capítulo 3B

1. $m \perp n$ **2.** $m\angle 1 + m\angle 2 = 180°$ **3.** $\overleftrightarrow{AB} \parallel \overleftrightarrow{CD}$ **4.** $m\angle MNP + m\angle MNQ = 90°$ **5.** $\angle 3 \cong \angle EFD$ **6.** $m\angle D = 90°$ **7.** El ángulo 1 y el ángulo 2 son suplementarios. **8.** La recta 1 es paralela a la recta 2. **9.** La medida del ángulo ABC es igual a la medida del ángulo XYZ. **10.** La recta AB es perpendicular a la recta DF.

11. El ángulo ABC y el ángulo ABD son complementarios.
12. El ángulo 2 es un ángulo recto, o la medida del ángulo 2 es 90°. **13.** Respuesta de muestra: $\overleftrightarrow{CB} \parallel \overleftrightarrow{GD}$, $m\angle BAF = m\angle GFA$

Capítulo 3C

1. 14 **2.** 6 **3.** 60° **4.** correspondiente **5.** $7000; $300 **6.** El ancho de las plazas, 10 pies **7.** Un paralelogramo porque las rayas son congruentes y paralelas, convirtiéndolas en los lados opuestos de un paralelogramo

Capítulo 3D

1. D **2.** E **3.** L **4.** K **5.** C **6.** B **7.** I **8.** M
9. LL **10.** F **11.** N **12.** A **13.** J **14.** G **15.** H

Capítulo 4A

1. Triángulos congruentes **2.** Las respuestas variarán. Ejemplo: figuras congruentes; congruencia de triángulos por LLL, LAL, ALA y AAL; demostrar la congruencia de partes de triángulos; el teorema del triángulo isósceles **3.** Leer diagramas y palabras **4.** Hacer comparaciones cuantitativas **5.** nave espacial, puentes, lacrosse, historia **6.** Compruebe el trabajo de los estudiantes.
Capítulo: Triángulos congruentes; Figuras congruentes: hallar figuras congruentes; Congruencia de triángulos por LLL y LAL: usar los postulados LLL y LAL; Congruencia de triángulos por ALA y AAL: usar el postulado ALA y el teorema AAL; Usar triángulos congruentes–$PCTCC$: demostrar la congruencia de partes de triángulos; Triángulos isósceles y equiláteros: el teorema del triángulo isósceles; Congruencia en triángulos rectángulos: el teorema dc la hipotenusa y el cateto; Usar partes correspondientes de triángulos congruentes: usar triángulos superpuestos en demostraciones y usar dos pares de triángulos congruentes

Capítulo 4B

1. Lado-Ángulo-Lado **2.** Ángulo-Ángulo-Lado **3.** triángulo XYZ **4.** ángulo PQR **5.** triángulo BCD **6.** ángulo C **7.** segmento de recta BD **8.** recta ST **9.** rayo WX **10.** hipotenusa-cateto **11.** recta 3 **12.** ángulo 6 **13.** Ángulo-Lado-Ángulo **14.** triángulo XFK

Capítulo 4C

1. Sí. Usar el teorema del triángulo isósceles, $\angle W \cong \angle Y$. Se sabe que $\overline{WX} \cong \overline{YX}$ y $\overline{WU} \cong \overline{VY}$. Por lo tanto $\triangle WUX \cong \triangle YUX$ por LAL. **2.** No hay suficiente información. Necesitas saber si $\overline{AC} \cong \overline{EC}$, si el $\angle A \cong \angle E$, ó si el $\angle B \cong \angle D$.

Capítulo 4D

1. postulado
2. hipotenusa
3. ángulo
4. vértice
5. lado
6. cateto
7. perpendiculares

8. polígono
9. suplementarios
10. paralelas
11. correspondientes
TRIÁNGULOS CONGRUENTES

Capítulo 5A

1. Relaciones dentro de triángulos **2.** Las respuestas variarán. Ejemplo: segmentos medios de triángulos; bisectrices de triángulos; rectas congruentes, medianas y alturas; y expresiones recíprocas, contrapositivas y razonamiento indirecto **3.** Leer demostraciones indirectas **4.** Usar una variable **5.** medición indirecta, monumentos históricos nacionales, diseño de piscinas, arquitectura **6.** Compruebe el trabajo de los estudiantes.

Capítulo 5B

1. Ñ **2.** G **3.** R **4.** H **5.** N **6.** B **7.** J **8.** O **9.** A
10. I **11.** LL **12.** F **13.** Q **14.** M **15.** C **16.** K **17.** E
18. P **19.** L **20.** D

Capítulo 5C

El ancho del cráter es 10 metros.

Capítulo 5D

1. circuncentro **2.** altura **3.** recta **4.** mediana **5.** negación **6.** inverso **7.** rayos opuestos **8.** contrapositiva **9.** incentro **10.** ortocentro **11.** polígono **12.** pendiente intercepto **13.** exterior **14.** obtuso **15.** interior alterno **16.** centroide **17.** escaleno **18.** equivalente **19.** rectángulo **20.** paralelo

Capítulo 6A

1. Cuadriláteros **2.** Las respuestas variarán. Ejemplo: clasificar cuadriláteros; propiedades de los paralelogramos; demostrar que un cuadrilátero es un paralelogramo; y paralelogramos especiales **3.** Leer un plan para una demostración **4.** Dibujar un diagrama **5.** medición, navegación, servicio comunitario, arquitectura **6.** Compruebe el trabajo de los estudiantes.

Capítulo 6B

1. $\overline{AH}$, $\overline{CH}$ ó $\overline{BH}$ **2.** $\overline{DG}$, $\overline{FG}$ ó $\overline{EG}$ **3.** D, E ó F
4. H **5.** G **6.** $\overline{DE}$ **7.** rombo **8.** trapecio **9.** rectángulo
10. cuadrado **11.** cometa **12.** trapecio isósceles

Capítulo 6C

1. $\overline{QT} \cong \overline{RS}$, $\overline{QR} \cong \overline{ST}$, $\overline{QT} \parallel \overline{RS}$, $\overline{QR} \parallel \overline{TV}$
2. No, no se puede demostrar que $\triangle QTV \cong \triangle SRU$ > porque con la información dada, sólo puede demostrarse que un lado y un ángulo de los dos triángulos son congruentes. Se necesita otro lado u otro ángulo. Si se diera que $QUSV$ es un paralelogramo, entonces podría hacerse la demostración.
3. Los cuatro lados son congruentes. **4.** Sí. Como $\overline{EG} \cong \overline{EG}$ por la propiedad reflexiva, $\triangle EFG \cong \triangle EHG$ por LLL.

Capítulo 6D

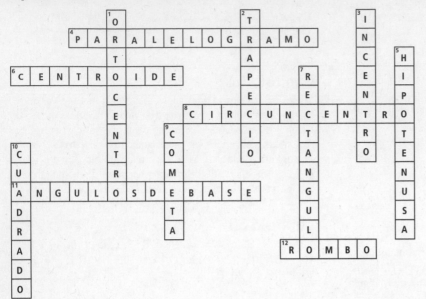

Crossword answers:
4. PARALELOGRAMO
6. CENTROIDE
8. CIRCUNCENTRO
11. ANGULOS DE BASE
12. ROMBO

Down entries (letters visible): O, PTOCENTRO, TAPEZOIDE, INCENTRO, HIPOTENUSA, COMETA, RENTANGUL, CUADRADO

Capítulo 7A

1. Área **2.** Las respuestas variarán. Ejemplo: áreas de paralelogramos y triángulos; el teorema de Pitágoras; triángulos rectángulos especiales; y áreas de polígonos regulares **3.** Leer para resolver problemas **4.** Hallar respuestas correctas múltiples **5.** ingeniero estructural, diversión, deportes, carreras de caballos **6.** Compruebe el trabajo de los estudiantes.

Capítulo 7B

1. E **2.** J **3.** B **4.** G **5.** A **6.** I **7.** D **8.** C **9.** H **10.** F
11. $a^2 + b^2 = c^2$ **12.** $A = \frac{1}{2}d_1 d_2$ **13.** $m\widehat{AC} = 105°$
14. $A = \pi r^2$ **15.** $\sqrt{225} = 15$ **16.** $\odot P$ **17.** $\widehat{XY} \cong \widehat{PQ}$
18. $\square ABCD$ **19.** $A = \frac{1}{2}h(b_1 + b_2)$ **20.** $4^2 = 16$

Capítulo 7C

1. 2860 pies^2 **2.** $33\frac{1}{3}$ pies^2 **3.** 86 **4.** $28\frac{2}{3}$ **5.** $9.00 **6.** $27.00
7. 45 minutos **8.** 21.5 horas **9.** $645 **10.** $1419

Capítulo 7D

1. arcos adyacentes **2.** semicírculo **3.** centro **4.** longitud del arco **5.** base **6.** círculo **7.** ángulo central **8.** arcos congruentes **9.** diámetro **10.** arco mayor **11.** círculos concéntricos **12.** arco menor **13.** triple Pitagórico **14.** radio **15.** apotema
SEÑOR, EN GEOMETRÍA NO HAY CAMINOS REALES.

Capítulo 8A

1. Semejanza **2.** Las respuestas variarán. Ejemplo: razones y proporciones; polígonos semejantes; demostrar triángulos semejantes; y semejanza en triángulos rectángulos **3.** Leer una demostración de dos columnas **4.** Examinar opciones múltiples **5.** fotografía, tecnología, geología, diversión **6.** Compruebe el trabajo de los estudiantes.

Capítulo 8B

1. no **2.** no **3.** sí **4.** no **5.** sí **6.** no **7.** no **8.** sí **9.** no **10.** no
11. sí, AAL **12.** sí, Teorema de la hipotenusa y el cateto **13.** no es posible **14.** sí, LAL o ALA o AAL **15.** no es posible **16.** no es posible

Capítulo 8C

1. $\triangle DHB \cong \triangle ACB$ **2.** postulado de la semejanza AA. Los triángulos tienen dos ángulos semejantes. **3.** $1:2$ **4.** $1:2$
5. $\frac{DB}{AB} = \frac{HB}{CB}$ **6.** 250 pies

Capítulo 8D

1. N **2.** J **3.** LL **4.** E **5.** I **6.** A **7.** K **8.** L **9.** C **10.** D
11. G **12.** R **13.** N **14.** Q **15.** O **16.** H **17.** Ñ **18.** B
19. F **20.** P

Capítulo 9A

1. Trigonometría de los triángulos rectángulos **2.** Las respuestas variarán. Ejemplo: usar tangentes en triángulos; triángulos con seno y coseno; ángulos de elevación y depresión; y vectores **3.** Leer para resolver problemas **4.** eliminar respuestas **5.** ir de excursión, astronomía, hacer encuestas, aviación **6.** Compruebe el trabajo de los estudiantes.

Capítulo 9B

1. H **2.** L **3.** I **4.** D **5.** LL **6.** A **7.** G **8.** C **9.** J **10.** B
11. M **12.** F **13.** K **14.** E **15.** $\text{sen}^{-1}A = \frac{5}{12}$
16. $\overrightarrow{AB} = \langle 3, -2 \rangle$ **17.** $\triangle ABC \sim \triangle XYZ$ **18.** $p \leftrightarrow q$
19. $m\angle A \approx 52°$ **20.** $\tan Z = \frac{7}{24}$

Capítulo 9C

1. B **2.** A **3.** D **4.** C **5.** D **6.** B **7.** B **8.** A

Capítulo 9D

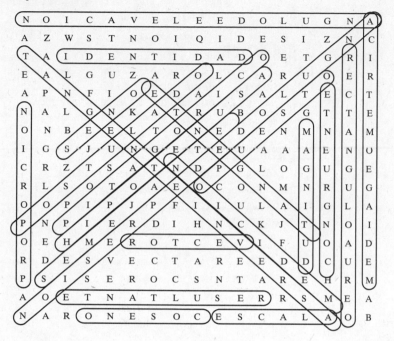

Capítulo 10A

1. Área de la superficie y volumen **2.** Las respuestas variarán. Ejemplo: Figuras y plantillas; figuras en el espacio y dibujar; áreas totales; y volúmenes. **3.** Leer vocabulario de matemáticas **4.** Escoger "No se puede determinar" **5.** visualización, estudios sociales, geografía, arquitectura **6.** Compruebe el trabajo de los estudiantes.

Capítulo 10B

1. 527.8 pulg^2 **2.** 136 pies^2

Capítulo 10C

1. Area $= \frac{1}{2}$ de la base por la altura; área de un triángulo
2. pendiente = la diferencia de la coordenada y dividida entre la diferencia de la coordenada x; pendiente de la recta entre 2 puntos **3.** a al cuadrado más b al cuadrado es igual a c al cuadrado, el teorema de Pitágoras; hallar las longitudes de los lados de un triángulo rectángulo **4.** área = pi por el radio al cuadrado; área de un círculo **5.** tangente del ángulo A es igual al lado opuesto dividido por el lado adyacente; hallar el ángulo o lado de un triángulo rectángulo
6. volumen = pi por el radio al cuadrado por la altura; volumen de un cilindro
7. área = la mitad de la longitud de la diagonal uno por la diagonal dos; área de un cuadrado, cometa o rombo
8. área = largo por ancho; área de un rectángulo, cuadrado o paralelogramo
9. la suma de la coordenada x de dos puntos dividida por 2, y la suma de la coordenada y de dos puntos dividida por 2; fórmula

del punto medio de un segmento de recta
10. circunferencia = 2 por pi por el radio; circunferencia de un círculo
11. volumen – un tercio de pi por el radio al cuadrado por la altura; volumen de un cono
12. la distancia es igual a la raíz cuadrada de la cantidad de la suma de la diferencia de la coordenada x, al cuadrado, más la diferencia de la coordenada y, al cuadrado; fórmula de la distancia
13. área = un medio de la altura por la suma de la base uno más la base dos; área de un trapecio
14. volumen = e al cubo; volumen de un prisma cuadrado o cubo

Capítulo 10D

1. poliedro **2.** arista **3.** vértice **4.** ortográfico **5.** sección de corte **6.** prisma **7.** altura **8.** prisma rectangular **9.** altura de inclinación **10.** cono **11.** volumen **12.** esfera **13.** hemisferios **14.** figuras semejantes **15.** prisma rectangular **16.** ángulo de depresión **17.** tangente **18.** seno **19.** hipotenusa **20.** vector **21.** resultante

Capítulo 11A

1. Círculos **2.** Las respuestas variarán. Ejemplo: rectas tangentes; cuerdas y arcos; ángulos inscritos; y medidas de ángulos y longitudes de segmentos **3.** Leer para resolver problemas **4.** estimar la respuesta **5.** bicicletas, arquitectura, comunicaciones, arqueología **6.** Compruebe el trabajo de los estudiantes.

Capítulo 11B

1. $\overleftrightarrow{BC} \perp \overleftrightarrow{DE}$ **2.** $\overleftrightarrow{EF}$ es tangente a $\odot G$.
3. $\overline{WX} \cong \overline{ZX}$ **4.** $\overline{AB} \perp \overline{XY}$ **5.** $HM = 4$

Capítulo 11C

Las respuestas variarán. Respuestas de muestra:
1. $\overline{AD}, \overline{CE}$ **2.** $\overline{BF}, \overline{CD}, \overline{AD}$ **3.** $\overline{HD}$ **4.** $\overline{AH}$
5. $\overline{AF}, \overline{AB}, \overline{BC}$ **6.** $\overset{\frown}{CDF}, \overset{\frown}{DAB}, \overset{\frown}{DAC}$ **7.** $\overset{\frown}{AC}, \overset{\frown}{ED}$
8. $\angle AOC$ **9.** $\angle DCE$ **10.** $\overset{\frown}{DEA}$ **11.** $\angle DAH$
12. $\angle AGB$ **13.** $\angle AHC$ **14.** $\angle DCE$ **15.** $\overline{AH}$

Capítulo 11D

1. J **2.** R **3.** H **4.** E **5.** G **6.** N **7.** Ñ **8.** L **9.** K **10.** B
11. C **12.** D **13.** I **14.** O **15.** A **16.** LL **17.** P **18.** M
19. F **20.** Q

Capítulo 12A

1. Transformaciones **2.** Las respuestas variarán. Ejemplo: reflexiones; traslaciones; composiciones de reflexiones; y simetría **3.** Leer para resolver problemas **4.** Responder a la pregunta que se hace **5.** ingeniería, mapas, arte, modelos a escala **6.** Compruebe el trabajo de los estudiantes.

Capítulo 12B

1. D **2.** E, R, 5 y 20 **3.** El centro del condado es el centro de la milla cuadrada rodeada por las carreteras 12, 13, K y L. **4.** C **5.** 10 millas **6.** La intersección de 6 e I **7.** aproximadamente 31.1 millas

Capítulo 12C

1. reflexión; opuesto **2.** rotación; igual **3.** reflexión de deslizamiento; opuesto **4.** traslación; igual **5.** rotación; igual **6.** reflexión; opuesto **7.** traslación; igual **8.** reflexión de deslizamiento; opuesto

Capítulo 12D

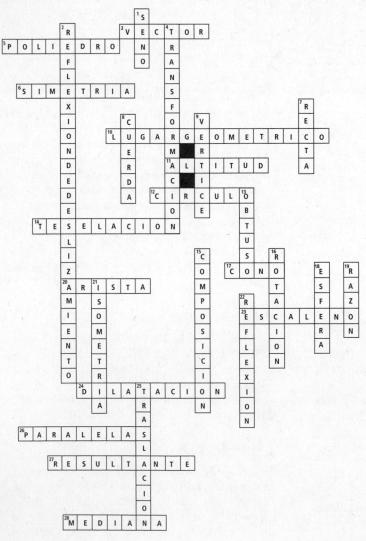